QUE SAIS-JE ?

La femme dans la société française

THIERRY BLÖSS
Professeur de sociologie à l'Université de Provence

ALAIN FRICKEY
Chargé de recherches au CNRS

Quatrième édition

14ᵉ mille

Pour nos filles Déborah et Sarah,
femmes de demain.

ISBN 2 13 052173 8

Dépôt légal — 1re édition : 1994
4e édition : 2003, mars

© Presses Universitaires de France, 1994
6, avenue Reille, 75014 Paris

INTRODUCTION

« On ne naît pas femme, on le devient ! » Cette formule provocatrice de Simone de Beauvoir[1] illustre notre intention de montrer en quoi l'identité féminine est une construction sociale ancrée dans l'histoire. Il s'agit ici de faire le point sur l'évolution du statut de la femme et des principaux rôles sociaux qui organisent son existence, de l'enfance à l'âge adulte.

Ce présent ouvrage limite son exploration à la société française. Son titre est délibérément simplificateur. L'usage du singulier correspond à notre volonté de souligner que la définition sociale du sexe féminin se fonde principalement sur les différences qui le séparent ou l'opposent au sexe masculin. L'étude de ces différences de sexes ne se réduit pas à un travail d'inventaire. Les pages qui suivent ne sont ni une recension misérabiliste des avatars de la condition féminine ni un essai « flatteur », soucieux de souligner les qualités et mérites du « deuxième sexe ».

L'objectif de cet ouvrage est de mesurer l'évolution des rôles joués par les femmes dans l'école, la famille et le travail. Il s'agit d'appréhender comment, à travers leurs actions, les femmes ont tour à tour façonné leur statut d'écolière, de mère et de travailleuse. Ces trois grands domaines seront ici explorés, dans la mesure où ils rendent compte des changements probablement les plus importants opérés dans les modes de vie des femmes. Ils constituent en quelque sorte les principaux champs où l'égalité des sexes, si redoutée par les uns et si convoitée par les autres, est devenue un enjeu. La participation des femmes à la vie politique et sociale, leur mobilisation au

1. S. de Beauvoir, *Le Deuxième Sexe,* Paris, Gallimard, 1949.

cours de ces dernières décennies ne seront qu'évoquées. Cette évolution du statut féminin dans notre société, son rôle actuel restent en fait largement méconnus, et prêtent souvent à contresens ou à contre-vérités. Le fil conducteur qui guidera notre propos se résume dans une expression du langage courant, qui peut valoir pour principe de méthode en sciences sociales : balayer les préjugés, ou idées reçues véhiculés sur la situation sociale des femmes. Tout au long de ces pages, notre réflexion sera d'ordre général. Nous tairons en effet volontairement les variations ou oppositions internes au sexe féminin, sans pour autant accréditer l'idée que les femmes constituent une catégorie spécifique et homogène.

Établir des différences entre hommes et femmes peut sembler *a priori* évident ou banal, dès lors que l'on est persuadé que ces distinctions sont immanentes et immuables, c'est-à-dire qu'elles tiennent aux différences de nature entre le genre féminin et le genre masculin. L'entreprise devient plus instructive – mais aussi plus périlleuse car moins conforme aux représentations courantes – si l'on admet que ces différences de sexes ne sont pas simplement biologiques ou génétiques, mais qu'elles ont aussi et surtout une existence sociale, culturelle, ancrée et accumulée dans l'histoire d'une société. Dans cette optique, il devient alors nécessaire, pour rendre compte de la condition sociale des femmes, de cerner au mieux l'état des relations qui les unissent aux hommes.

Les changements sociaux de ces dernières décennies ont été nombreux : explosion des effectifs scolaires et multiplication des institutions d'éducation, extension du salariat et montée endémique du chômage, mutation des modes d'entrée dans la vie adulte, transformation des structures familiales, etc. Dans ces changements, on peut penser que les femmes ont joué un rôle prépondérant et inédit. Elles sont en grande partie à l'origine de l'essor spectaculaire des effectifs scolaires et universitaires ; elles ont massivement investi le marché du travail salarié à travers une activité de plus en plus continue ; elles subissent plus souvent que les hommes les affres de l'emploi précaire et du chômage. Elles ont également initié les changements sociodémographiques les plus notables de ces dernières années : baisse de la nuptialité, baisse de la fécondité, apparition de nouvelles formes de vie en couple et en famille, et de nouveaux comportements en matière de contraception et de procréation, etc.

L'étude du « fait féminin » constitue par conséquent un révélateur des transformations de la société française dans son ensemble. Historiens, anthropologues, sociologues ne s'y sont pas trompés en brisant depuis peu le silence qui entourait les femmes dans les sciences humaines.

Porteuses d'innovations, les femmes sont néanmoins les plus exposées aux nouvelles formes de ségrégation sociale générées par ces changements. Tout se passe comme si les discriminations de sexe séculaires avaient revêtu des formes plus complexes, moins apparentes, mais néanmoins toujours présentes et opérantes. À l'école, dans l'emploi ou encore dans la famille, les femmes se sont vues octroyer – ou concéder – de nouveaux droits, mais en même temps, et de façon contradictoire, de nouvelles inégalités entre les sexes ont vu le jour. La « dévalorisation des diplômes », la « précarité professionnelle », ou encore la solitude du « parent unique » face à l'éducation des enfants, principalement endossées par les femmes, témoignent avec force que leur émancipation sociale est loin d'être achevée.

À partir d'un point de vue transversal aux différents domaines de la vie sociale, cet ouvrage tente de réunir des connaissances utiles pour comprendre la situation actuelle des femmes, avec les éclairages nécessaires de l'histoire.

Chapitre I

L'IDENTITÉ DES FEMMES :
L'HISTOIRE
D'UNE LENTE RECONNAISSANCE SOCIALE

L'éclairage du passé permet sans doute de mieux comprendre le statut actuel des femmes dans la société française en mesurant le chemin parcouru – et les obstacles franchis – par ces dernières dans les différents domaines de la vie sociale. Il s'agit ici de souligner les événements historiques les plus significatifs qui ont marqué l'évolution de la condition sociale des femmes afin de mieux cerner le rôle qu'elles ont pu jouer dans l'évolution de la famille, de l'école et des relations de travail.

Cette évolution n'a pas été linéaire, elle a subi, au cours des temps, diverses fluctuations, des accélérations, des coups de freins, et parfois même de brusques retours en arrière. On peut considérer, avec P. Ariès, que le « siècle des Lumières », a joué un rôle charnière dans cette évolution. C'est en effet au cours du XVIIIe siècle que les relations familiales se sont profondément transformées, et ont constitué, par là même, une première brèche dans la conception traditionnelle de la femme. Plus de deux siècles seront alors nécessaires pour que l'idée d'égalité des sexes soit fondée en droit, en attendant toujours une hypothétique réalisation dans les faits.

I. – La femme dans les transformations
de la famille

Entre le Moyen Âge et le XVIIIe siècle, la conception de la famille évolue peu. Sous l'Ancien Régime, la famille est diluée dans un tissu de relations communautaires. On n'est jamais seul, de jour comme de nuit, la vie sociale prenant le pas sur la vie familiale. Selon l'historien P. Ariès, cette sociabilité s'est longtemps opposée à la formation du sentiment familial, faute d'intimité. Dans ce contexte, les liens qui unissent maris et femmes ou parents et enfants sont le plus souvent dépourvus d'affection. E. Shorter[1] rappelle, anecdotes à l'appui, que le mariage, qu'il soit populaire ou aristocratique, urbain ou rural, ne doit sa cohésion qu'à des considérations de propriété et de lignage. Les liens entre époux sont par conséquent essentiellement économiques et patrimoniaux, et principalement régis par des rapports d'autorité entre sexes.

1. Les liens économiques et autoritaires de la vie conjugale. – Dans la France de l'Ancien Régime, la femme vit sous l'autorité du mari. On peut même parler de subordination totale. Elle assume un certain nombre de travaux, au premier rang desquels figurent les tâches domestiques. Elle forme avec son mari un couple au sens biologique puisque le couple se perpétue, mais les échanges entre époux n'ont aucun caractère d'intimité.

En milieu urbain, en effet, un couple n'est en définitive jamais seul, la promiscuité y étant totale. Selon P. Ariès[2], la densité sociale interdit l'isolement et donc toute intimité conjugale. Relations entre voisins, relations entre pairs, ou relations entre serviteurs et maîtres priment à tout instant sur les relations conjugales. L'organisation de la maison ne permet d'ailleurs pas la mise en œuvre de cette intimité de couple, puisque les pièces n'ont pas d'affectation bien déterminée : les lits sont installés dans les pièces communes. Ce n'est qu'au XVIIIᵉ siècle qu'apparaissent les chambres à coucher indépendantes

---

1. E. Shorter, *Naissance de la famille moderne*, Paris, Seuil, coll. « Points Histoire », 1977, p. 71.
2. P. Ariès, *L'enfant et la vie familiale sous l'Ancien Régime*, Paris, Seuil, coll. « Points Histoire », 1973, p. 299.

ouvertes sur un couloir et sans communication entre elles, garantissant ainsi l'intimité de la vie de couple.

En milieu rural, hommes, femmes et enfants cohabitent avec les bêtes, cette promiscuité ne favorisant pas les relations entre maris et femmes. Du reste, si le paysan semble bien souvent beaucoup plus attaché à sa terre ou à ses bêtes qu'à sa femme, c'est qu'en fin de compte la valeur sociale et économique d'une femme est moindre que celle d'une tête de bétail. En cas de perte d'une vache, seul le débours d'une somme d'argent peut la remplacer, alors qu'en cas de décès d'une épouse, un remariage garantit une nouvelle dot, et donc un accroissement de patrimoine. Nombre de proverbes, cités par E. Shorter, attestent de cette absence d'affection dans le mariage et, par voie de conséquence, du peu d'attention accordée à la vie de l'épouse :

Mort de femme et vie de cheval font l'homme riche. (proverbe breton)
Deuil de femme morte dure jusqu'à la porte. (proverbe gascon)
L'homme a deux beaux jours sur terre : lorsqu'il prend femme et lorsqu'il l'enterre. (proverbe d'Anjou)

Très nettement subordonnée à son mari, la femme lui doit respect et obéissance. Elle est en réalité, dans la vie quotidienne, bien plus la première servante de l'homme que sa réelle compagne. Confinée aux tâches subalternes, la femme assume les activités ménagères (cuisine, ménage, etc.) ainsi que les travaux de la ferme et du potager. Ainsi, dans nombre de campagnes, les femmes ne s'assoient pas à table et se tiennent debout derrière les hommes. Elles ne prennent leur repas que lorsque ces derniers ont terminé le leur. Ce respect se manifeste également par le fait que le tutoiement entre époux est rare dans les campagnes. Le jour du mariage marque en ce sens, de façon rituelle, la fin d'une période où jeune homme et jeune fille célibataires se tutoyaient, et l'entrée dans la vie conjugale où le vouvoiement est de rigueur.

9

2. **L'invention du statut d'enfance et du métier de mère.** – Sous l'Ancien Régime, les enfants ne sont pas perçus différemment des adultes, dès lors qu'ils sont à même de se passer de l'aide de leur mère ou de leur nourrice, et aptes à travailler comme apprentis chez un maître, vers l'âge de six ou sept ans. Leur départ précoce de la famille d'origine pour entrer dans le monde du travail les amène à ignorer fréquemment jusqu'à l'existence même de leurs frères et sœurs. Au mieux, les enfants sont des « adultes en réduction ». L'adolescence, en tant qu'âge de la vie ou catégorie de perception, n'existe pas. La société médiévale est en effet caractéristique d'un passage sans transition de la petite enfance à l'âge adulte. La socialisation de l'enfant n'est pas assurée par la famille, mais plutôt par l'apprentissage, c'est-à-dire concrètement par la fréquentation du monde des adultes, et la transmission directe des savoirs professionnels, d'une génération à l'autre.

A) *L'enfant-adulte.* – Cette entrée précoce dans le monde des adultes – en général vers l'âge de sept ans – s'accompagne d'une séparation de la famille par la pratique – généralisée – du placement dans la maison d'autrui. Tous les milieux, qu'ils soient populaires ou bourgeois, y ont recours. P. Ariès pense que cette pratique était commune à tout l'Occident médiéval. Placé dans une famille autre que la sienne, l'enfant est censé mieux apprendre les « bonnes manières ». L'enfant est donc socialisé essentiellement par la famille au service de laquelle il entre. Le fait d'être sous la dépendance d'autrui n'a du reste aucunement un caractère humiliant, car on appartient presque toujours à quelqu'un[1]. Ce service domestique est en même temps un apprentissage car les deux fonctions sont confondues. Il tient lieu d'éducation et dure entre sept et neuf ans, c'est-à-dire jusque vers l'âge de 14 à 16 ans environ. La transmis-

1. P. Ariès, *op. cit.*, p. 296.

sion des connaissances se fait, quant à elle, de maître à serviteur.

Jusqu'à la fin du XVIIᵉ siècle, la société de l'Ancien Régime manifeste une grande indifférence à l'enfance. Au cours de cette période, « le sentiment de l'enfance n'existait pas ; cela ne signifie pas que les enfants étaient négligés, abandonnés, ou méprisés. Le sentiment de l'enfance ne se confond pas avec l'affection des enfants : il correspond à une conscience de la particularité enfantine, cette particularité qui distingue essentiellement l'enfant de l'adulte même jeune. Cette conscience n'existait pas »[1].

Cette indifférence à l'égard des enfants trouve son explication dans un ensemble de facteurs. Comme il vient d'être rappelé, les enfants ne sont que peu physiquement présents au domicile familial. On doit aussitôt ajouter que si les enfants comptent peu, à cette époque, c'est aussi et surtout parce que leur avenir est très hypothétique, parce qu'ils risquent à tout moment de disparaître. Jusqu'à la fin du XVIIIᵉ siècle, près d'un enfant sur deux ne dépasse pas la cinquième année. La vie de femme mariée se résume en une succession de couches, ponctuées de décès. On citera en exemple le cas de Pierre Pontet, vigneron à Pignan, près de Montpellier, et d'Agnès Fabre, mariés en 1728[2]. Le registre paroissial de leur famille est édifiant :

Alexis né le 5 mars 1729	mort le 25 mai 1735
Antoine né le 8 octobre 1730	
Marie née le 17 octobre 1734	morte le 22 mars 1735
Pierre né le 6 mars 1736	
Fulcrande née le 4 mars 1739	morte le 30 août 1739
Madeleine née le 6 juin 1740	
Martine née le 15 février 1742	morte le 14 juillet 1742
Agnès née le 17 juillet 1743	morte le 21 septembre 1746
Aubert né le 31 décembre 1745	mort le 22 août 1746

1. P. Ariès, *op. cit.*, p. 177.
2. Exemple cité par J. Gélis, M. Laget, M.-F. Morel (présenté par), *Entrer dans la vie. Naissances et enfances dans la France traditionnelle*, Paris, Gallimard/Julliard, coll. « Archives »,1978.

Soit six enfants décédés en bas âge (quatre filles et deux garçons) sur neuf portés à terme, chose commune à l'époque. Du fait de la très forte mortalité infantile, les parents évitent ainsi de s'attacher aux nourrissons, c'est du moins la thèse retenue par nombre d'historiens. Ainsi, fréquentes sont les citations du mot de Montaigne qui ignore combien d'enfants il a perdus en bas âge, et qui ne s'en émeut point : « J'ai perdu deux ou trois enfans en nourrice, non sans regrets ni sans fascherie. »[1]

Cette très forte mortalité ne frappe pourtant pas indifféremment tous les enfants. On peut noter que les petites filles ont longtemps connu une plus grande fragilité devant la mort. Elles sont en effet plus exposées que les garçons aux risques de maladies infectieuses, avant d'atteindre l'adolescence. Cette inégalité de sexe devant la mort, qui ne s'estompera qu'à la fin du XIXe siècle, s'explique selon les démographes[2] par les conditions défavorables de soins qui leur étaient plus ou moins inconsciemment faites, tout à fait caractéristiques de la plus faible attention accordée au sexe féminin. Dans l'Europe du XVIIe au XIXe siècle, nombre de témoignages de pasteurs, de médecins, ou encore de chroniqueurs, rapportés par E. Shorter[3], insistent sur les différences de traitement alimentaire réservé aux enfants en fonction de leur sexe. Les petites filles sont sevrées plus tôt que les garçons, leur ration alimentaire est plus réduite et moins riche en protéines, les meilleurs morceaux étant destinés aux garçons.

Les différentes monographies et les études démographiques faites sur la population française sous l'Ancien Régime attestent une nette surmortalité des petites filles,

1. M. Montaigne, *Essais*, Livre II, 8.
2. Nous nous référons précisément ici à J. Vallin, « Durée de vie : les femmes creusent l'écart », *Population et sociétés*, novembre 1988, n° 229.
3. E. Shorter, *Le corps des femmes,* p. 32-33. Cité par A. Chenu, « Sexe et mortalité en France », *Revue française de sociologie*, XXIX, 1988.

mais également des femmes en âge de procréer. Les difficiles conditions de déroulement des grossesses et des accouchements, associées au problème de mauvaise alimentation ou de malnutrition des femmes enceintes, sont les principaux facteurs d'une forte mortalité maternelle.

Bien que les causes de mortalité ne soient étudiées systématiquement par sexe que depuis 1925, en France, les informations statistiques disponibles mettent en évidence la relation entre la surmortalité féminine et les difficiles conditions de vie des femmes. Elles concordent également pour établir que cette surmortalité féminine, aux âges de l'adolescence et de la maternité, n'a disparu que depuis les années 1940[1]. Aujourd'hui, la plus grande mortalité des hommes s'impose dans les esprits comme un fait universel observé à tout âge, en tout pays et même à toute époque. Ce phénomène est en fait récent dans l'Europe occidentale, particulièrement en France, et succède à une longue période au cours de laquelle les femmes étaient socialement les plus exposées.

L'histoire des femmes devant la mort échappe elle aussi à toute vision linéaire. On ne peut, en effet, résumer l'évolution de la situation des femmes du XVIIIᵉ siècle à nos jours en attestant une amélioration progressive et continue de leur sort. Le XIXᵉ siècle, à travers les pénibles conditions de travail qu'il a inaugurées dans l'industrie, aura sans conteste marqué une régression dans l'évolution de leur condition sociale ainsi qu'une aggravation de leur situation devant la mort.

La surmortalité « naturelle » des filles n'est sans doute pas la seule manifestation du moindre intérêt social longtemps accordé au sexe féminin, et consécutivement du sort plus ingrat qui lui était réservé. L'infanticide des petites filles, pratique que l'on imagine volontiers appartenir à la préhistoire de la civilisation, n'a en réalité été interdit, en France, qu'au début du XVIIIᵉ siècle.

1. D. Tabutin, « La surmortalité féminine en Europe avant 1940 », *Population*, nᵒ 1, 1978, p. 133.

B) *Un amour maternel de plus en plus valorisé.*–
L'amour, qu'il soit maternel ou paternel, n'a qu'une très
faible valeur sociale et morale dans la France de l'Ancien
Régime. E. Badinter[1] inverse l'idée communément admise selon laquelle les mères ne s'intéressaient pas aux
enfants du fait de leur très forte mortalité, en postulant
que si les enfants mouraient en si grand nombre, c'est
parce qu'on ne s'intéressait pas à eux. Cette indifférence
à l'égard des enfants a sans doute été considérablement
renforcée par la pratique de la mise en nourrice, qui, à
l'origine, est l'apanage des classes privilégiées. Les mères
de la noblesse, devant l'obligation de tenir leur rang social, ne peuvent s'encombrer d'un bébé au sein, et se dé-
chargent ainsi de cette tâche sur d'autres femmes. En milieu urbain, ce sont principalement les femmes d'artisans
et de commerçants qui placent leurs enfants afin de pouvoir continuer à aider leur mari. En règle générale, les
nourrissons sont placés à la campagne, afin d'être sous-
traits de l'air fétide et vicié qui sévit dans les villes.

Généralisée au XVIIᵉ siècle à l'ensemble des couches sociales, la pratique de la mise en nourrice produit une
réaction en chaîne : les femmes des campagnes qui reçoivent des enfants des villes placent à leur tour, et au
moindre coût, leurs propres enfants. Or, dans ces campagnes, règne à l'époque une extrême misère qui,
conjuguée à des conditions d'hygiène déplorables, fait
des ravages parmi les nourrissons (des taux de mortalité
allant de 30 à 40 % y sont fréquents), et rend la mise en
nourrice particulièrement funeste.

On peut se demander pourquoi cette pratique que l'on
savait dangereuse pour la survie des enfants s'est développée de la sorte, au point d'être entrée pleinement dans
les mœurs. Outre le désir d'imitation des classes privilégiées déjà cité, on doit mentionner l'avis des médecins et
moralistes de l'époque, qui, sans aucun fondement scientifique, s'accordaient pour proscrire toute relation

---

1. E. Badinter, *L'amour en plus*, Paris, Flammarion, 1980.

sexuelle non seulement pendant la grossesse mais également pendant l'allaitement, « le sperme gâtant le lait ». Il y avait donc, selon eux, incompatibilité entre les relations sexuelles de l'épouse et l'allaitement de la mère. Soit le père défiait le tabou et mettait la vie du nourrisson en danger, soit il s'abstenait et le risque était grand qu'il aille se consoler dans l'adultère, l'homme étant incapable de se contenir plus de quelques jours, pensait-on. Cette alternative n'étant aucunement acceptable pour l'Église, la mise en nourrice constituait donc une solution « commode », qui avait pleinement l'aval des autorités religieuses. J.-L. Flandrin[1] cite *Le Dictionnaire des cas de conscience* publié au XVIIIᵉ siècle par Fromageau : « La femme doit, si elle peut, mettre son enfant en nourrice, afin de pourvoir à l'infirmité de son mari en lui rendant le devoir, de peur qu'il ne tombe en quelque péché contraire à la pureté conjugale. »

Est-ce à dire que l'Église n'était pas consciente des dangers encourus ? Certains théologiens fustigeaient l'attitude des femmes qui ne nourrissaient pas leur enfant, mais ce n'était pour eux qu'un péché véniel. En tout état de cause, l'Église n'hésitait pas à recommander aux femmes de faire passer le devoir conjugal avant leurs obligations maternelles, pour éviter tout risque d'adultère, et donc de péché mortel.

L'absence de sentiments maternels, ou plus généralement l'indifférence à l'égard des enfants, renforcée par cette pratique de la mise en nourrice qu'Élisabeth Badinter va jusqu'à comparer à un « infanticide déguisé », est donc une caractéristique majeure de la société de l'Ancien Régime. Au XVIIᵉ siècle, des voix s'étaient déjà élevées contre la mise en nourrice, mais ce n'est qu'à partir de la deuxième moitié du XVIIIᵉ siècle qu'une prise de conscience s'opère parmi les classes privilégiées en raison des ravages que produisaient les épidémies parmi les nourrissons placés. Les mères sont, dans ces conditions,

1. J.-L. Flandrin, *Familles*, Paris, Seuil, 1984.

contraintes de garder leurs enfants et de les allaiter elles-mêmes pour éviter de les confier à des nourrices infectées. La tendance s'inverse alors, et l'allaitement maternel reprend peu à peu le dessus et gagne progressivement les différentes couches de la société.

L'allaitement maternel est un indicateur très révélateur de la révolution maternelle en cours tout au long du XVIIIᵉ siècle. Il n'est pas le seul : la limitation des naissances par la pratique du mariage tardif, les progrès réalisés en matière d'hygiène et de soins sont également la manifestation des changements dans les comportements parentaux, et de la place grandissante que prend l'enfant dans la société française. L'abandon progressif de la pratique de la mise en nourrice, remplacée par l'allaitement maternel, produit alors un changement d'attitude envers le nouveau-né : le contact charnel lie la mère à l'enfant. On se soucie alors de son bien-être, le bébé devient peu à peu une personne à part entière, le sentiment maternel peut alors se développer. Les manifestations d'amour de la mère envers son enfant se multiplient : l'enfant est caressé, on veille à sa propreté, le carcan de l'emmaillotage ligotant le nourrisson se desserre, toutes ces nouvelles pratiques concourent à tisser des liens entre la mère et l'enfant. La mère est au centre de nouvelles relations affectives et éducatives. Elle est considérée comme responsable de la santé physique et morale de ses enfants et joue, par là même, un rôle prépondérant au sein de la vie familiale qui se circonscrit de plus en plus dans la relation parents-enfants.

La famille qui émerge au XVIIIᵉ siècle est une « famille moderne », en ce sens qu'elle accorde la priorité à la socialisation d'enfants devenus irremplaçables et dont la mort est vécue comme un véritable drame familial. Vers la fin de l'Ancien Régime, l'aristocratie ou la bourgeoisie ont vis-à-vis de la mort de l'enfant une attitude tout à fait comparable à celle prévalant de nos jours : « Je fus frappé comme d'un coup de foudre. (...) Je ne sais comment je pus survivre, et il m'est impossible de peindre l'état dans lequel nous nous trouvâmes. Pendant les premiers jours, je ne quittai point ma femme, ni le funeste lieu où j'avais perdu mon enfant. (...) Dieu adoucit nos peines, mais nous ne nous consolâmes jamais », écrit, en 1776, Jacob-Nicolas Moreau, bibliothécaire de la reine Marie-Antoinette, à la mort de sa fille. Ce regard nouveau porté sur l'enfance par l'aristocratie et la bourgeoisie tranche singulièrement avec la vision populaire et notamment paysanne qui prévaut encore au XIXe siècle, en France, tout particulièrement à l'égard des petites filles, comme l'illustrent ces deux anecdotes[1] :

Interrogez tel paysan sur sa famille, il vous répondra :
– « Je n'ai pas d'enfants, monsieur, je n'ai que des filles ! »
Le fermier breton, dont la femme met au monde une fille dit encore :
– « Ma femme a fait une fausse couche ! »

Ainsi, la douleur provoquée par le décès d'un enfant se définit comme un sentiment variable selon le milieu social de la famille et le sexe de l'enfant.

3. **Nouveaux rôles parentaux et nouvelle vie de couple.** – À partir du XVIIIe siècle, les nouveaux sentiments envers l'enfant, partagés par les deux parents, rapprochent considérablement ces derniers, qui deviennent dès lors plus intimes. Les solidarités de voisinage qui prévalaient jusqu'alors tendent à s'effacer devant les liens qui unissent les parents à leurs enfants et les époux entre eux. La cellule familiale prend ses distances, même à l'égard des autres parents et de la domesticité. La société est ainsi progressivement écartée de la sphère de la vie familiale qui devient celle de la vie privée, de la « maison » *(home)*. Cette évolution vers l'intimité était matériellement difficile à mettre en œuvre car elle supposait une organisation

1. Anecdotes tirées de E. Legouvé, *Histoire morale des femmes*, 1849. Cité par A. Armengaud, « L'attitude de la société à l'égard de l'enfant au XIXe », *Annales de démographie historique*, 1973, « Enfants et Sociétés », p. 310-311.

de la maison *(house)* répondant à ce souci, c'est-à-dire, concrètement, l'existence de pièces indépendantes. Elle a donc longtemps été limitée à une minorité de la population, et ce n'est qu'au cours du XIXᵉ siècle que ce modèle familial se propagea peu à peu aux couches moins favorisées de la société. La révolution industrielle avec pour corollaire la séparation entre le lieu de travail et le lieu de la vie familiale, mais aussi les progrès réalisés en matière d'hygiène vont en effet contribuer activement à la diffusion sociale de ce nouveau modèle conjugal.

II.– De l'éducation morale
à l'instruction publique des filles

Dès lors que l'enfant devient le centre de la vie quotidienne, la famille se doit d'assurer sa promotion, c'est-à-dire l'éduquer. Le modèle d'une éducation conçue dans une relation de maître à serviteur ne peut plus préparer à la vie, car les familles ne sont plus disposées à se séparer de leurs enfants. Elles prennent conscience de la nécessité d'une période de préparation à la vie, que seule l'école peut assurer. Comme le note P. Ariès[1], « on admet désormais que l'enfant n'est plus mûr pour la vie, qu'il faut le soumettre à un régime spécial, à une quarantaine, avant de le laisser rejoindre les adultes (...). La famille cesse d'être seulement une institution de droit privé pour la transmission des biens et du nom, elle assume une fonction morale et spirituelle, elle forme les corps et les âmes ».

Dès le XVIIIᵉ siècle, la morale de l'époque impose à l'aristocratie et à la bourgeoisie d'éduquer tous les enfants et non pas simplement l'aîné. « Ce sont les mœurs, et non le Code civil ni la Révolution, qui ont supprimé le droit d'aînesse », écrit encore P. Ariès. Dans ce contexte, la question de l'éducation des filles, présente en filigrane depuis le XVIᵉ siècle, se pose avec acuité.

1. P. Ariès, *op. cit.*, p. 313.

1. **Un sexe à éduquer.** – Jusqu'au XVIᵉ siècle, comme nous l'avons vu, le placement chez un maître tenait le plus souvent lieu d'éducation. Rares étaient ceux qui se préoccupaient de former les futures générations, qu'elles soient de l'un ou l'autre sexe. Avec l'apparition de la Réforme religieuse, les choses changent : l'aspect moral de la religion tend à l'emporter sur son caractère sacré, l'importance de l'éducation est reconnue par les principaux penseurs de la Réforme protestante. Ainsi, pour Luther et Calvin, il faut sans cesse se référer aux Écritures, tout soumettre à leur jugement. Qui lit la Bible est renvoyé au Christ, il faut donc que chacun soit en mesure de la lire. Organiser l'enseignement est alors essentiel afin de préparer hommes et femmes à cette éducation religieuse. La Réforme protestante est donc en Europe du Nord, mais également en France, synonyme d'alphabétisation des filles, même si le savoir auquel elles ont accès est strictement délimité par le modèle patriarcal prôné par cette même Réforme. La réaction catholique ne tardera pas, en fixant comme priorité d'enseigner aux fidèles la doctrine de l'Église. Cet effort d'enseignement se fait en direction des adultes, par la multiplication des prédicateurs envoyés dans les campagnes, mais également en direction des enfants, par l'intermédiaire de la catéchèse. Afin qu'ils puissent suivre l'enseignement religieux, gage de leur foi future, les enfants sont initiés aux rudiments de la lecture, par le déchiffrement des textes religieux. Réforme protestante et Contre-Réforme catholique ont donc joué un rôle décisif dans l'essor de scolarisation des filles sous l'Ancien Régime.

L'éducation des petites filles, leur alphabétisation, constitue, de ce point de vue, une arme au service de la religion. M. Sonnet souligne à quel point « au tournant des XVIᵉ et XVIIᵉ siècles une nouvelle vague d'initiatives » (de l'église catholique) « prend forme, vouées, celles-ci, spécifiquement à l'enseignement féminin. Les réformateurs catholiques comprennent alors quel rôle clef la petite fille peut jouer dans un processus de reconquête religieuse et morale de la société dans son ensemble »[1]. Il s'agit très clairement de former les futures mères afin qu'elles transmettent la bonne parole aux générations futures. Elles doivent donc être capables de lire le catéchisme. Cet enseignement est dispensé dans le cadre de couvents où les demoiselles de la bonne société sont pensionnaires, ou bien pour les moins fortunées, dans le cadre d'écoles charitables. Le contenu de l'enseignement est des plus rudimentaires : instruction religieuse, lecture, parfois quelques éléments d'écriture, et travaux de couture. Il n'est pas bon que les femmes en sachent trop. Les activités manuelles, et tout particulièrement les travaux d'aiguilles, rappellent aux jeunes filles leur futur rôle d'épouse et de mère, et leur désignent, avant l'heure, le foyer domestique comme lieu principal d'activité. Cependant, comme le notent C. et E. Lelièvre[2], la différence principale entre la scolarisation des filles et des garçons réside dans sa durée – beaucoup plus courte pour elles que pour eux –, ce qui n'est pas sans conséquence sur la nature des apprentissages reçus.

Deux siècles après le Concile de Trente (1545-1563), les congrégations religieuses vouées à l'enseignement se sont multipliées, mais les femmes sont toujours aussi ignorantes. Elles n'ont accès qu'à un minimum de connaissances fortement imprégnées de religion. Seules quelques rares jeunes filles de l'aristocratie font exception car elles bénéficient d'une éducation familiale libérale leur permettant d'accéder à un savoir profane. Ce sont ces rares femmes privilégiées, qui, devenues adultes, tiendront salon, dès la moitié du XVIIe siècle, avec le mouvement des Précieuses (1650-1660). Le salon littéraire, situé aux confins de l'espace public et de l'espace privé, est

---

1. M. Sonnet, « Une fille à éduquer », dans G. Duby, M. Perrot, *Histoire des femmes en Occident*, t. 3, Paris, Plon, 1991, p. 113.
2. C. Lelièvre, F. Lelièvre, *Histoire de la scolarisation des filles*, Paris, Nathan, 1991, p. 15.

à la fois un lieu et un mode d'expression. Lieu pédagogique, il forme les femmes de l'aristocratie et, par extension, celles de la bourgeoisie. Mixte, il leur permet de sortir d'une situation de mise à l'écart.

Molière[1], en ridiculisant les Précieuses, ne fait qu'emboîter le pas à ses contemporains qui ne veulent voir que les travers du mouvement, avec la perversion de la langue et l'affectation des manières, en refusant d'en mesurer réellement la portée. Ce mouvement des Précieuses correspond en fait à une évolution des esprits et des mœurs, et illustre un phénomène social et moral autant que littéraire et linguistique. Il postule le développement de l'instruction des femmes, suscite le goût des belles lettres, mais plus généralement encourage leur accès aux connaissances. Quelques cercles précieux n'hésitent pas à remettre en question le statut de la femme, les fondements du mariage et de la famille, et même à revendiquer le droit au mariage à l'essai, au divorce et à l'espacement des maternités. C'est dire l'importance d'un mouvement

1. L'œuvre de Molière est caractéristique du débat sur l'éducation des femmes au XVIIᵉ siècle. Dans *L'École des femmes* (1662), le personnage d'Arnolphe, bourgeois quadragénaire, incarne l'esprit des misogynes de l'époque, pour lesquels la femme est naturellement faible d'esprit, sotte, née pour obéir à l'homme. Elle risque à tout moment de céder à l'adultère, si elle n'est pas surveillée de près par son mari. L'éducation des femmes leur inspire peur et mépris, elle est subversive. Molière, dans cette pièce, fait preuve d'un esprit plutôt féministe, en prenant parti pour l'éducation des filles, et en soulignant les dangers qu'il y a à maintenir de force une femme dans l'ignorance.
Dans *Les Précieuses ridicules* (1659) et dans *Les femmes savantes* (1672), Molière, à treize ans d'intervalle, épingle les femmes de la haute bourgeoisie qui s'émancipent intellectuellement. Il ridiculise les travers de celles qui récusent à jamais le mariage et se complaisent outrancièrement dans des futilités de mœurs et les excès de langage. L'image des précieuses que donne Molière est sans doute une caricature. Elle ne saurait résumer l'intention de ce mouvement de l'élite féminine de l'époque qui revendiquait le droit de s'instruire comme les hommes.
En fait, Molière manifeste une philosophie assez « conformiste », en accord avec les idées de son temps, une morale « du juste milieu » : en effet, bien que critiquant la conception traditionnelle et autoritaire du mariage, il prône une éducation des femmes par la douceur, c'est-à-dire dans le respect de la division sexuelle des rôles, les jeunes filles n'ayant d'autre destin possible que celui d'épouse et de mère.

surtout connu pour ses excès de langage et les caricatures qu'en a fait Molière, ridiculisant les femmes qui en fait cherchaient à s'émanciper et à s'instruire.

Au-delà des Précieuses, le Salon perdure et se développe tout au long du XVIIIᵉ siècle, au point de devenir le centre de la vie intellectuelle : l'Europe des Lumières sera une « internationale des salons ». Grâce aux salons, les femmes accèdent au monde des idées, aux discussions philosophiques. Leurs écrits ne sont toutefois pas à la hauteur de leurs ambitions, car il ne leur est permis d'écrire que des traités de dévotion ou des manuels sur l'éducation des filles. Toute tentative d'écriture dans des domaines autres que ceux précités y est très mal perçue, à tel point que celles qui s'y risquent prennent la précaution de publier sous des pseudonymes, afin de ne pas être reconnues et déconsidérées. C'est au fond l'acte d'écrire qui est en soi réprouvé, le contenu, c'est-à-dire les idées de celles qui osent braver l'interdit moral, restant le plus souvent très conformiste. Dans les écrits féminins du XVIIIᵉ siècle, toute remise en cause de leur statut dans la société est exclue. Écrire devient dans ces conditions l' « acte libérateur », selon l'expression de C. Dulong[1].

2. **Les femmes dans l'ombre des « Lumières ».** – Le XVIIIᵉ siècle est celui des Lumières, ou, si l'on préfère, celui des philosophes. La philosophie est omniprésente en ce sens qu'elle traduit une volonté nouvelle d'élucider la réalité humaine sous tous ses aspects. L'idéologie des Lumières abolit toute distinction de rang entre les hommes, qui sont définis par leur appartenance à l'humanité. Tout être humain doué de raison est par définition un être libre. Mais ce concept d'égalité universelle, du fait même de sa généralité, reste une abstraction, non ancrée dans le réel. Ainsi, les femmes, qui constituent la moitié du genre humain, sont reconnues comme telles par les

1. C. Dulong, « De la conversation à la création », dans G. Duby, M. Perrot, *op. cit.*, t. 3.

22

Lumières : elles sont donc des êtres doués de raison, et, théoriquement, des êtres libres. Mais quel décalage entre la théorie générale, abstraite, et la réalité des discours sur les femmes ! Jugeons plutôt :

Jean-Jacques Rousseau publie en 1762 *L'Émile ou De l'éducation*, composé de cinq livres dont un seul consacré à *Sophie*. En substance, le rôle de Sophie doit se limiter au bonheur d'Émile : « Toute l'éducation des femmes doit être relative aux hommes. Leur plaire, leur être utiles, se faire aimer et honorer d'eux, les élever jeunes, les soigner grands, les conseiller, les consoler, leur rendre la vie agréable et douce : voilà les devoirs des femmes dans tous les temps, et ce qu'on doit leur apprendre dès leur enfance. » En somme, la femme est assignée à la fonction domestique, telle est l'identité sociale que Rousseau, figure progressiste à bien des égards, entend lui reconnaître. Le conservatisme masculin n'est d'ailleurs pas en manque de voix ou de plumes pour rappeler, souvent sans ambages, la place que doivent occuper les femmes dans la société. « Une femme est une fille, une sœur, une épouse et une mère, un simple appendice de la race humaine... », telle est la définition que donne Steele[1], essayiste anglais du XVIIIᵉ siècle. Cette définition, loin de choquer ses contemporains, reflète en définitive assez fidèlement l'opinion dominante : la femme n'a d'existence que dans son rapport à l'homme.

L'article *Femme* de l'Encyclopédie de d'Alembert et Diderot comporte trois contributions révélatrices de l'état d'esprit de l'époque. Dans le premier texte, la femme est décrite comme la « femelle de l'homme », dans le second, comme la possession du mari, et dans le troisième, elle est définie par l'art de plaire ou d'aimer. Bien sûr, la question de la compatibilité de ces approches avec le principe de l'égalité est posée, mais elle est résolue le plus souvent par des pirouettes, comme le souligne M. Crampe-

1. Cité par O. Hufton, « La famille et le travail », dans G. Duby, M. Perrot, *op. cit.*, t. 3, p. 27.

Casnabet[1]. Ainsi, l'abbé Mallet, auteur du premier texte, pense résoudre la contradiction en l'énonçant : « Les divers préjugés sur le rapport d'excellence de l'homme à la femme ont été produits par les coutumes des anciens peuples, les systèmes de politique et les religions qui les ont modifiés à leur tour. J'en excepte la religion chrétienne qui a établi... une supériorité réelle dans l'homme, en conservant néanmoins à la femme les droits de l'égalité. » Ou bien encore, De Jaucourt, auteur du second texte, constate que « le principe de l'égalité des droits fondé en nature est violé par l'affirmation de la supériorité d'un des sexes dans le mariage, lequel repose sur un contrat, donc sur un accord réciproque ». De Jaucourt est conscient du fait que le mariage n'est pas toujours établi en tenant compte de l'avis de la femme, mais, en l'acceptant, elle accepte la soumission.

Le débat de l'époque porte ainsi sur le fait de savoir si la femme est un être rationnel. En théorie ou en droit, oui ! Mais l'égalité intellectuelle des sexes ne va guère au-delà de la déclaration de principe. L'opinion masculine, même « éclairée », est quasi unanime. Le privilège de la femme est la beauté, celle-ci étant éphémère, et la raison étant si lente à se constituer, la femme ne peut donc à la fois posséder beauté et raison. Raisonnement abscons s'il en est, mais qui n'a pas rebuté un esprit aussi éclairé que Montesquieu, philosophe pourtant parmi les plus convaincus de la nécessité d'une égalité entre les sexes. C'est ce même Montesquieu qui dénonce avec force, dans *L'esprit des lois, Livre VII*, les inégalités dont sont victimes les femmes. Cette ambivalence parmi les philosophes éclairés montre toute la difficulté d'appliquer l'idée abstraite d'égalité sur le terrain plus concret des relations entre hommes et femmes.

Le siècle des Lumières, en général peu favorable aux femmes, n'a sans doute pas concrétisé sur le plan philo-

1. M. Crampe-Casnabet, « Saisie dans les œuvres philosophiques », dans G. Duby, M. Perrot, *op. cit.*, t. 3, p. 334.

sophique le principe d'égalité entre sexes, fondé sur l'éducation. Ce principe d'égalité avait déjà été posé par un certain nombre de précurseurs, un siècle auparavant. Parmi eux, Poullain de la Barre avait publié en 1673 et 1674, c'est-à-dire bien avant « les Lumières », *De l'égalité des sexes* et *De l'éducation des dames*. Le principe général qui nourrissait ces deux ouvrages est que tout est affaire d'éducation : si les femmes reçoivent la même éducation que les hommes, elles auront les mêmes aptitudes qu'eux. Cette idée était si en avance sur son temps qu'elle ne suscita guère de réactions. Il faut attendre presque un siècle pour qu'Helvetius explore la même direction dans son ouvrage *De l'Esprit* (1758). L'inégalité constatée entre hommes et femmes ne tire aucunement sa source, selon lui, d'une différence de nature, comme le pense une majorité de ses contemporains, mais de la mauvaise qualité de l'éducation reçue par les femmes. Helvetius prône alors le libre accès des femmes à l'éducation, sans aucune restriction de contenu, sur la base de l'égalité formelle entre hommes et femmes. Son livre est aussitôt condamné par la Sorbonne et brûlé en public.

Comme le souligne M. Sonnet[1], « le rendez-vous manqué de l'éducation des filles et des Lumières se répète avec la révolution française. Seul le philosophe Condorcet, parmi les personnages les plus illustres de cette période révolutionnaire, est allé le plus loin en cette fin du XVIIIᵉ siècle dans la défense de l'égalité des hommes et des femmes, et concrètement dans la défense d'une instruction des femmes identique à celle des hommes ».

Le marquis de Condorcet critique la Déclaration des droits de l'homme parce que la femme n'y trouve pas sa place. Il dénonce « les lois oppressives que les hommes ont faites contre elles ». Il milite pour que les femmes accèdent au suffrage universel. Et il prône une instruction publique, laïque et gratuite, commune aux hommes et aux

1. M. Sonnet, *L'éducation des filles au temps des Lumières*, Paris, Le Cerf, 1987, p. 287.

femmes, afin de combattre l'ignorance qui fait le lit de la tyrannie. Vaste projet novateur, qui mettra près de deux siècles à se réaliser. L'opinion dominante « éclairée » du XVIIIᵉ siècle prône une instruction des filles, non pas pour leur avantage personnel mais dans l'intérêt de leurs futurs enfants.

Dans le principe, cette éducation devrait être ancrée au sein de la famille, sans recourir à une institution extérieure. Dans la pratique, ce modèle n'est réaliste que pour une minorité privilégiée, ce qui amènera par la suite à substituer aux familles un système d'éducation institutionnalisé.

3. Un modèle d'enseignement laïc au féminin. – Au début du XIXᵉ siècle, seule une organisation aussi puissante que l'Église de l'Ancien Régime aurait pu structurer cet enseignement. Or, après la Révolution, l'Église est ruinée, et aucune institution capable de mener à bien cette tâche n'existe. Les grands principes de la Révolution et de Condorcet apparaissent, au mieux, comme une anticipation. Au cours des premières décennies du XIXᵉ siècle, devant l'impuissance et le manque de moyens de l'État, l'Église retrouve la plupart de ses prérogatives en matière d'enseignement. Certes, « Napoléon ne voulait pas d'une école qui aurait pris à Rome et non à Paris ses directives »[1], mais il encourage les initiatives privées, c'est-à-dire religieuses.

La question de l'enseignement secondaire féminin se trouve tout d'abord posé au sein des classes dirigeantes de la bourgeoisie. La nécessité de cet enseignement apparaît dès lors que l'on veut qu'il y ait une « union des âmes », tous sexes confondus. Il faut donc que les femmes de la bourgeoisie soient cultivées, mais que cette culture soit désintéressée, car il n'est pas question qu'elles exercent une profession. Il s'agit, comme le rappelle

1. A. Prost, *Histoire de l'enseignement en France*, Paris, A. Colin, 1968, p. 158.

A. Prost[1], qu' « hommes et femmes parlent un langage commun. Par là, l'enseignement féminin apparaît comme un moyen de lutter contre la superstition, le mysticisme et l'influence cléricale ».

La première réalisation émane de Victor Duruy, libre penseur, qui crée, en 1867, les cours secondaires publics pour jeunes filles. Cette action traduit le souci volontariste, exprimé publiquement par Jules Simon, philosophe et futur ministre de l'Instruction publique, de combler le fossé qui sépare l'instruction des filles et des garçons : « Les filles, même dans les pensionnats les plus élevés, reçoivent une éducation futile, incomplète, toute d'arts d'agréments. Nous voulons faire des femmes les compagnes intellectuelles de leur mari, et il n'est personne qui puisse nier que l'instruction qu'on leur donne aujourd'hui ne les prépare à ce rôle » (discours au corps législatif en 1867). Cette création de cours secondaires publics pour jeunes filles, dans le prolongement de la loi Falloux de 1850 (faisant obligation aux communes de plus de 800 habitants d'ouvrir et d'entretenir une école de filles), ne va pas manquer de susciter une vive opposition de l'Église, qui voit dans cette mesure une atteinte à son monopole de fait. Bien que novatrice, cette création est toutefois d'une portée très limitée, puisqu'il ne s'agit pas, faute de crédits, de créer des établissements d'enseignement secondaire, mais plutôt d'organiser des cours payants, dans des locaux le plus souvent prêtés par les municipalités. Mal structurée, cette entreprise ne put se pérenniser. Elle eut cependant pour mérite d'ouvrir la voie à un enseignement de jeunes filles dégagé de l'influence de l'Église.

C'est en effet quelques années plus tard que, fait unique en Europe, prend corps un enseignement secondaire de jeunes filles totalement laïque et dépendant de l'État. La loi Camille Sée du 21 décembre 1880, qui

1. A. Prost, *op. cit.*, p. 262.

donne naissance à ce dispositif éducatif, prévoit notamment la création d'externats pour jeunes filles, ainsi que – par décret du 14 janvier 1882 – une organisation des enseignements où, fait nouveau, les jeunes filles accèdent à une plus large instruction. Seule l'étude du latin et du grec leur fait désormais défaut. Le français et la littérature constituent dès lors l'assise de cet enseignement de jeunes filles, ouvert par ailleurs sur l'histoire, la géographie, les sciences naturelles et des notions de mathématiques.

Cet enseignement secondaire nouveau va sans conteste devenir un véhicule important du changement dans la condition féminine, tout particulièrement dans les classes moyennes. L'objectif de cette loi est d'arracher les filles à l'Église sans pour autant les détourner du foyer. Il résume en cela toute l'ambiguïté qui consiste, en cette fin du XIXᵉ siècle, à élever le niveau d'instruction des filles tout en les maintenant sous la dépendance de leur mari. Objectif éducatif – et ambiguïté morale – que Camille Sée énonce publiquement : « *Virgines futuras virorum matres republica docet !* » ; autrement dit : « La République instruit les vierges, futures mères des hommes. »

À la veille de la Première Guerre mondiale, les établissements d'enseignement secondaire accueillent près de 33 000 jeunes filles qui étudient les mêmes matières que leurs homologues masculins. Elles sont alors prêtes à se lancer dans le monde du travail. Cependant, malgré les nombreux progrès enregistrés de l'Ancien Régime à la IVᵉ République, l'éducation se conjugue toujours sur le mode de la séparation des sexes et des savoirs. La scolarisation des filles reste « qualitativement et quantitativement inférieure » à celle des garçons. Ce n'est en définitive qu'à l'avènement de la Vᵉ République que l'école des femmes sort réellement de l'isolement, avec le développement des établissements scolaires et la généralisation de la mixité.

REPÈRES HISTORIQUES
DANS L'ÉVOLUTION
DE LA SCOLARISATION DES FILLES

Monarchie de Juillet

1835 Arrêté imposant de séparer les garçons et les filles à l'école, et complété l'année suivante par un autre arrêté qui impose une cloison entre garçons et filles lorsqu'ils sont admis dans le même local.

1836 Ordonnance qui étend aux filles certaines règles en vigueur pour les garçons :
– même distinction des deux degrés d'enseignement primaire (élémentaire et supérieur) ;
– mêmes matières obligatoirement enseignées (exceptés le chant, le dessin devenus obligatoires pour les filles, ainsi que les travaux d'aiguilles) ;
– même classement des écoles de filles en privées et publiques.

1838 Création de l'École normale d'institutrices (l'école normale d'instituteurs existant déjà).

IIᵉ République

1850 Loi Falloux qui fait obligation aux communes de plus de 800 habitants d'ouvrir et d'entretenir une école de filles.

Second empire : Napoléon III

1861 Première femme admise à passer le baccalauréat.
1867 Création par Victor Duruy de cours secondaires publics destinés aux filles.

IIIᵉ République

1879 Loi Paul Bert rendant obligatoire l'entretien par chaque département d'une école normale de filles.
1880 Loi Camille Sée qui institue un enseignement secondaire féminin d'État.
1882 Loi Jules Ferry rendant l'enseignement primaire obligatoire, public et laïc, ouvert aux filles comme aux garçons.
1924 Décret qui institue des horaires, et des programmes d'études identiques dans le secondaire, pour les gar-

çons et les filles, entraînant une équivalence formelle entre les baccalauréats masculin et féminin.

1925   Création de l'École polytechnique féminine.

Vᵉ République

1963   Décret qui institue la mixité comme régime normal des Collèges d'enseignement secondaire (CES).

1975   Loi Haby créant le Collège unique, assure l'obligation de mixité dans l'enseignement primaire et secondaire. « Tout enseignement et toute spécialité professionnelle d'un lycée, sous réserve des dispositions du Code du travail, sont accessibles aux élèves des deux sexes. »

III. – Le travail des femmes au xixᵉ siècle : une question de visibilité

1. La fin du travail familial ? – Jusqu'au xixᵉ siècle, la France est profondément paysanne, les emplois de l'agriculture occupent deux actifs sur trois. L'agriculture, comme mode productif dominant, réunit de façon étroite famille et travail sous l'autorité patriarcale. Sous le même toit, sont réunies plusieurs générations qui, toutes, travaillent pour la ferme. Pour les femmes, la confusion des tâches, qu'elles soient ménagères ou agricoles, est totale, le contrat de mariage tenant lieu de contrat de travail. La frontière entre les deux activités est d'autant plus ténue que l'exploitation est modeste, l'autosubsistance étant alors la norme.

Dans l'agriculture, le travail au sein du cadre familial apparaît ainsi comme la caractéristique dominante. Il ne confère aux femmes aucune identité sociale susceptible d'être reconnue en dehors de la sphère familiale. « Seul le chef de famille a un statut ; sa femme, elle, est simplement mère, épouse et aide. »[1] Le travail des femmes est par conséquent un travail invisible, c'est-à-dire non re-

1. A. Barthez, « Femmes dans l'agriculture et travail familial », *Sociologie du travail,* nº 3, 1984, p. 255.

connu statutairement et non comptabilisé, officiellement considéré comme un « non-travail ».

La travailleuse existait longtemps avant l'avènement de la révolution industrielle. Les femmes travaillaient, mais elles accomplissaient souvent leurs tâches comme élément du groupe familial et, à ce titre, ne recevaient pas de salaire séparé, individualisé. C'est par la révolution industrielle que la femme au travail va acquérir, au cours du XIXe siècle, une visibilité qu'elle n'avait pas auparavant[1]. Deux facteurs convergents vont transformer de façon décisive les relations des femmes au travail : l'entrée dans le salariat et le travail à l'extérieur de la famille. L'industrialisation correspond à un mouvement de salarisation. Parmi les ouvriers, la famille de type conjugal devient dominante. C'est une famille où la femme travaille à l'extérieur du domicile et reçoit un salaire d'appoint. Le travail des femmes s'individualise sous la forme d'un emploi salarié, c'est-à-dire que, de façon inédite, le travail des femmes existe et est rémunéré en tant que tel.

2. La résistance masculine à l'accession des femmes au travail salarié.

– Sous l'effet du décollage industriel (dès 1830), les femmes prennent, jusqu'à la fin du XIXe siècle, une part de plus en plus importante dans une population active en rapide expansion. La reconnaissance sociale de ce changement majeur ne se fait pourtant pas sans heurts. Le travail salarié des femmes pose en effet problème. Essentiellement parce qu'on se demande si le fait qu'une femme gagne de l'argent est compatible avec son statut dans la société, c'est-à-dire concrètement avec son rôle d'épouse et de mère. Avec le développement du travail salarié, le lieu de production est nécessairement déplacé, hors du giron familial, vers l'usine, ce qui, pensait-on, était incompatible avec un équilibre familial. D'où les oppositions que suscite le tra-

1. J.-W. Scott, L. Tilly, *Les femmes, le travail et la famille*, Rivages, 1987.

vail féminin, même si, comme le démontrent J.-W. Scott et L. Tilly, leur fondement fut largement idéologique. L'industrie et le travail en usine n'ont jamais été, au cours du XIXᵉ siècle, les plus grands employeurs de main-d'œuvre féminine. Les femmes restent encore largement cantonnées dans les secteurs traditionnels de la domesticité, ou bien occupent des emplois de cols blancs en net essor.

Dès la deuxième moitié du XIXᵉ siècle, l'exode rural s'amorce véritablement. Hommes et femmes des campagnes sont de plus en plus nombreux à venir travailler dans l'industrie. Le développement du travail des femmes dans les usines textiles est emblématique de la naissance du prolétariat moderne. Cette évolution va modifier radicalement leurs conditions de travail sans affecter pour autant leur place dans la famille. La femme continue comme auparavant à assumer les tâches domestiques et professionnelles, mais en deux lieux désormais séparés : la maison et l'atelier.

L'entrée des femmes dans le salariat ne doit pas être comprise comme une amélioration spectaculaire de leur position sociale. Bien au contraire. Leur situation sociale est particulièrement difficile tout au long de ce XIXᵉ siècle. Une des idées consensuelles les plus tenaces diffusée par la société masculine est que le salaire d'un homme devait suffire à assurer son existence, ainsi que celle de sa famille. De ce fait, celui de la femme n'est au mieux qu'un salaire d'appoint. La conséquence la plus immédiate est que les femmes sont cantonnées dans des travaux spécifiques, synonymes de bas salaires, soi-disant en raison de leur inaptitude à être concurrentielles avec les hommes. Toute extension d'activité des femmes reste très mal vue des travailleurs masculins qui craignent un alignement de leurs propres salaires sur ceux des femmes, dès lors qu'elles sont introduites dans l'usine.

La résistance masculine est telle que les syndicats refusent l'adhésion des femmes, à moins qu'elles ne perçoivent le même salaire que les hommes. C'est en quelque sorte la quadrature du cercle ! Une des revendications centrales des syndicats au XIXᵉ siècle est celle d'un salaire familial pour la femme au foyer qui représente en quelque sorte « l'idéal de respectabilité des classes laborieuses »[1]. L'opinion prédominante dans les couches populaires admet en effet que la femme ne peut contribuer aux dépenses du foyer que tant qu'elle est célibataire, c'est-à-dire vivant sous le même toit que ses parents. Ainsi, dans les esprits, le travail féminin n'est pas admis à durer, même si dans la pratique, il en va souvent tout autrement.

Les pratiques des employeurs participent de cette définition restrictive. Ainsi, certains emplois réservés aux femmes sont assortis de conditions d'âge et de statut matrimonial (le célibat est fréquemment exigé). Le travail dans l'industrie n'accorde qu'une faible importance aux savoir-faire des femmes et une reconnaissance limitée en matière de rémunération. Quant au secteur public, à l'instar de l'administration des Postes, il procède en créant des emplois féminins de bureaux, à très bas salaires et sans aucune possibilité d'avancement ; ce qui a pour effet de produire un rapide renouvellement (ou « turn-over ») de la main-d'œuvre féminine. Cette ségrégation sexuelle organisée sur le marché du travail servira incontestablement de prétexte à la majorité des hommes pour légitimer le principe d'une division « naturelle » de la main-d'œuvre entre hommes et femmes.

Au XIXᵉ siècle, un contrat de travail est censé être une affaire relevant exclusivement du droit privé, un accord librement consenti entre deux parties. Au nom de cette liberté de contracter, le législateur se refuse d'intervenir dans ce qu'il considère être une affaire de droit privé. Avec l'apparition des femmes sur le marché du travail salarié, cette situation évolue. N'étant toujours pas consi-

1. J.-W. Scott, « La travailleuse », dans G. Duby, M. Perrot, *op. cit.*, t. 4, p. 438.

dérées comme citoyennes à part entière, le législateur leur doit, à ce titre, protection. Travailler pour un salaire s'accompagne, pour elles, de conditions de travail réglementées, qui font l'objet d'une législation croissante. Dans la dernière partie du XIXᵉ siècle, devant les campagnes de presse qui se développent pour dénoncer les conditions de travail des femmes et des enfants dans les usines insalubres, un certain nombre de mesures législatives sont prises pour les protéger des travaux industriels les plus pénibles : en 1874, femmes et enfants sont exclus du travail des mines. En 1892, une loi leur interdit tout travail dangereux ou insalubre, de même que le travail de nuit. Cette même loi limite à 11 le nombre d'heures de travail par jour.

L'ensemble de cette réglementation de cette fin du XIXᵉ siècle, positive sur le plan du droit de la personne, a pour conséquence d'accroître la ségrégation entre hommes et femmes sur le marché du travail, en écartant les femmes de nombreux emplois qualifiés, et en favorisant l'embauche des hommes, non soumis à ces restrictions. « Jamais le législateur ne parle d'exclure les femmes du monde du travail, mais au nom de la protection de la famille on aménage un temps de travail spécifique qui oriente la main-d'œuvre féminine dans de véritables ghettos, très peu surveillés. En dépit des critiques, cette législation est demeurée célèbre car elle rompt avec le principe de non-ingérence de l'État dans les conventions privées. »[1]

Ce n'est qu'au XXᵉ siècle, que la législation sur le travail des femmes enregistrera les avancées les plus significatives. La loi de 1908, instituant une égalité de salaire entre instituteurs et institutrices, inaugure une série de conquêtes qui permettront de combler en partie le retard séculaire des femmes en matière de droit au travail.

1. N. Arnaud-Duc, « Les contradictions du droit », dans G. Duby, M. Perrot, t. 4, *op. cit.*, p. 97.

REPÈRES HISTORIQUES
DANS L'ÉVOLUTION DU TRAVAIL DES FEMMES

IIIe République

1874 Interdiction du travail féminin dans les mines et les carrières. Interdiction du travail de nuit pour les femmes non majeures.

1892 Extension de l'interdiction du travail de nuit aux femmes de tous âges.
Limitation à 10 heures de leur temps de travail quotidien.
Obligation d'une journée de repos hebdomadaire.

1900 Les femmes ont le droit de plaider comme avocates.

1908 Égalité de salaires pour les instituteurs et les institutrices.

1909 Loi instituant un congé de maternité (sans traitement) de huit semaines sans rupture du contrat de travail.

1910 Création d'une section féminine au sein du syndicat des employés CGT.
Loi autorisant les femmes à prendre un congé de maternité de huit semaines avec traitement dans les PTT.

1920 Les femmes peuvent adhérer à un syndicat sans l'autorisation de leur mari.

1927 Égalité de salaires pour les employés des deux sexes des PTT, de la Caisse des dépôts et consignations et pour les professeurs du secondaire.

1928 Le congé de maternité de huit semaines, avec traitement, est étendu à toute la Fonction publique.

Gouvernement de Vichy

1940 Décret-loi de Vichy rendant très restrictif l'accès des femmes à l'emploi public.

Libération

1945 Suppression de la notion de salaire féminin, remplacée dans les textes par le principe : « À travail égal, salaire égal. »

Ve République

1965 Les femmes ont le droit de travailler malgré l'opposition du mari.

1972	Loi consacrant l'égalité de rémunération entre hommes et femmes pour les travaux de valeur égale.
1975	Loi sanctionnant les discriminations fondées sur le sexe, en particulier en matière d'embauche, et garantissant l'accès à l'emploi des femmes enceintes (ainsi que des sanctions en cas de discrimination).
1977	Création du « congé parental d'éducation » pour les femmes (dans des entreprises de plus de 200 salariés).
1979	L'interdiction du travail de nuit dans l'industrie est supprimée pour les femmes occupant des postes de direction ou des postes techniques à responsabilités.
1980	Loi interdisant de licencier un femme en état de grossesse.
1982	Les femmes d'artisans ou de commerçants travaillant avec leur mari obtiennent le statut de conjoint collaborateur.
1983	Loi Roudy sur l'égalité professionnelle entre hommes et femmes, interdiction toute discrimination de sexe dans l'emploi.
1987	Loi abolissant les restrictions à l'exercice du travail de nuit des femmes, sous certaines conditions.
1992	Loi sanctionnant le harcèlement sexuel dans les relations de travail.
1998	Circulaire du 6 mars relative à la féminisation des noms de métier, fonction, grade ou titre.

IV. – Femme, de quels droits ?

L'identité des femmes n'a évolué que lentement au cours des deux derniers siècles. Chaque étape de ce processus a fait l'objet de polémiques et de conflits. Les législations sur les droits des femmes qui ont vu le jour ont le plus souvent été précédées par des débats passionnés et de puissants mouvements revendicatifs.

1. **L'accès à la citoyenneté.** – La Révolution française pose le principe de l'égalité de tous. Toutefois, elle ne l'applique pas : les femmes n'ont pas accès au droit de vote. Seul Condorcet est assez visionnaire à l'époque pour adhérer à cette mesure. Néanmoins, en affirmant l'égalité de tous, la Révolution porte le ferment de

l'émancipation des femmes, même si la bourgeoise du XIXᵉ siècle est plus enfermée dans la sphère familiale que ne l'était l'aristocrate des Lumières. L'anglais Burke, farouche opposant à la Révolution, ne s'y est pas trompé : il n'a pas de mots assez durs pour fustiger ce qu'il appelle la « sale équité ». La Révolution a donc permis de poser la question de l'égalité entre hommes et femmes, sans aller pour autant au bout de sa démarche. Elle reconnaît cependant à la femme la personnalité civile, ce que lui déniait l'Ancien Régime.

À la fin du XIXᵉ siècle, aucune femme du monde occidental n'a encore acquis les libertés civiles. Partout, le droit de vote lui est refusé. En France, les premières revendications naissent pendant la Révolution de 1848, avec l'établissement du suffrage universel, réservé aux hommes. Tout au long du XIXᵉ siècle, l'accession des femmes au droit de vote est repoussée, sous les motifs les plus contradictoires. Les conservateurs, misogynes et hostiles à la participation des femmes à la vie publique, écartent catégoriquement cette éventualité. Les républicains redoutent, de leur côté, que les femmes, sous l'influence de l'Église, ne grossissent par leurs voix les rangs conservateurs, et fassent ainsi chanceler la République. En 1913, les féministes semblent en mesure de pouvoir l'emporter, quand la Première Guerre mondiale éclate, différant ainsi toute tentative de réforme. Au lendemain de la guerre, les députés sont à l'initiative d'une proposition de loi en faveur du droit de vote des femmes, mais celle-ci est rejetée par le Sénat, dominé par les conservateurs. Au cours des années vingt et trente, de nouvelles initiatives parlementaires auront lieu, qui, toutes, se heurteront au blocage du Sénat. La défaite de 1940, l'instauration du régime de Vichy et la suppression par celui-ci de tout système représentatif démocratique sont autant de facteurs qui, paradoxalement, vont bientôt permettre aux femmes d'apparaître sur la scène publique. En effet, le rôle qu'elles ont joué dans la Résis-

tance, les bouleversements sociaux consécutifs à la Libération, les réactions contre le régime de Vichy et sa misogynie sont à l'origine de l'ordonnance du 21 avril 1944
du Conseil national de la résistance, signée par le général
de Gaulle, qui donne enfin aux femmes le droit de vote et
le droit d'être élues.

2. **La libéralisation du statut des femmes.** – La
conquête des libertés politiques est inséparable de la lutte
pour l'émancipation des femmes dans la famille. Dans ce
domaine, les acquis révolutionnaires sont ambigus : en
théorie, la femme est reconnue en tant qu'individu, mais
elle demeure sous l'autorité de son mari. Les lois révolutionnaires de septembre 1792 sur l'état civil et le divorce
traitent sur un même pied d'égalité les deux époux. Le
mariage devient un contrat civil entre deux parties librement consentantes et également responsables. La femme,
tout comme l'homme, est à même de vérifier si le contrat
est correctement exécuté. Si tel n'est pas le cas, il
convient de dénoncer le contrat, sans même devoir
s'expliquer devant un tribunal, pour autant qu'il y ait
« accord sur le désaccord ». Tant d'audace ne durera pas.
Bien vite, la loi sur le divorce sera abrogée, en invoquant
la menace de déstabilisation pour la famille, et un retour
à des vues plus conventionnelles s'imposera. Il n'em-
pêche, comme le fait remarquer E. Sledziewski[1], que « les
antiféministes du XIXe n'auront pas tort de souligner que
la Révolution, en déstabilisant le mariage et l'ordre domestique, a ouvert la boîte de Pandore des revendications politiques des femmes. La Révolution a donné de
mauvaises habitudes aux femmes ».

Mais c'est incontestablement le Code civil napoléonien
de 1804 qui a eu les conséquences les plus négatives sur
l'évolution du statut de la femme. Considéré, à l'époque,
comme un modèle, imité dans de nombreux pays, il s'est

1. E. Sledziewski, « Révolution française, le tournant », dans
G. Duby, M. Perrot, *op. cit.*, t. 4, p. 47.

pérennisé, à bien des égards, jusqu'à nos jours. En fait, ce Code civil reflète à l'origine la misogynie de son initiateur, Napoléon Bonaparte, pour lequel : « La femme est donnée à l'homme pour avoir des enfants ; elle est sa propriété, comme l'arbre à fruits est la propriété du jardinier. »[1] Par l'article 213, précisant que « le mari doit protection à sa femme, la femme obéissance à son mari », le Code civil a confiné les femmes, tout au long du XIXᵉ siècle, dans un statut de mineure à vie. Certaines mesures perdureront au-delà, c'est ainsi que jusqu'à la veille de la Seconde Guerre mondiale, dans la plupart des pays européens, la femme devra demander l'autorisation de son mari pour exercer une profession (1965, précisément, dans le cas de la France). N. Arnaud-Duc[2] cite pêle-mêle les nombreuses obligations de l'épouse découlant de l'application du Code civil : elle ne peut, sans cette autorisation, se présenter à un examen, s'inscrire dans une université, ouvrir un compte en banque, faire établir un passeport, passer un permis de conduire, se faire soigner dans un établissement. Elle ne peut non plus agir en justice... Cet inventaire n'est pas limitatif.

La femme au XIXᵉ siècle est entièrement définie par son rôle familial : elle est épouse et mère. La famille est au fondement de l'ordre social, et la femme en est le pivot. Le législateur est donc particulièrement vigilant et veille à ce que la femme reste soumise à son mari. La femme ne peut se soustraire à ses devoirs conjugaux, le viol entre mari et femme n'étant pas reconnu. L'infidélité de la femme est sévèrement réprimée par le législateur car elle est susceptible de porter atteinte à l'ordre public, en modifiant les partages successoraux, par l'introduction d'un étranger dans la famille. La condamnation de l'homme adultère n'intervient, elle, que lorsque ce dernier entretient sa maîtresse au domicile conjugal, c'est-à-dire pratiquement dans les cas de bigamie.

1. Cité dans D. Noguerol, *Discriminations sexuelles et droits européens*, Paris, Masson, 1993, p. 14.
2. H. Arnaud-Duc, *op. cit.*, p. 109.

La Première Guerre mondiale va donner – provisoirement – l'occasion aux femmes de sortir de ce carcan familial. Nombre d'entre elles, séparées de leur mari, doivent se débrouiller seules pour gérer l'exploitation ou l'entreprise familiale. Certaines usines, devant la pénurie de main-d'œuvre, font appel au travail féminin. Cette brèche va rapidement se refermer car, au lendemain des quatre années de conflit, face au désastre économique et démographique, le mot d'ordre est de repeupler la France. Dans ce contexte, l'exaltation du rôle d'épouse et de mère est plus que jamais d'actualité. Toute publicité relative aux moyens anticonceptionnels est interdite et assimilée à de la propagande (loi du 3 juillet 1920). Le *coïtus interruptus* reste la méthode contraceptive la plus usitée, avec le développement des méthodes dites naturelles des Drs Ogino et Knaus. Le préservatif reste quant à lui autorisé pour prévenir la dissémination des maladies vénériennes, mais ne peut en aucun cas faire l'objet de publicité (jusqu'en 1991). L'avortement, crime passible de la cour d'assises, soumis au verdict d'un jury populaire, devient, par la loi du 23 mars 1923, un délit réprimé à la discrétion de magistrats professionnels, supposés moins enclins à acquitter ou à accorder les circonstances atténuantes aux femmes reconnues coupables de telles pratiques. De fait, si l'on suit A.-M. Sohn[1], avant l'application de cette loi, les jurys populaires acquittaient 80 % des inculpées. Ce chiffre tombe à 19 % entre 1925 et 1935. Malgré ces mesures répressives et populationnistes, la natalité tombera à son niveau le plus bas au cours des années trente.

Pendant cette même période, les discours hygiénistes triomphent, et la surveillance médicale des nourrissons s'impose progressivement à toutes les couches de la so-

---

1. A.-M. Sohn, « Entre deux guerres : les rôles féminins en France et en Angleterre », dans G. Duby, M. Perrot, *op. cit.*, t. 5, p. 107.

ciété. La mère est toute désignée pour endosser seule la responsabilité du bien-être et de la santé de l'enfant. Dans ces conditions, il lui est moralement difficile d'exercer une profession, sauf à apparaître comme une mauvaise mère. C'est donc le modèle de la femme au foyer qui domine dans l'entre-deux-guerres, et ce malgré l'apparition de « la garçonne » des « années folles », modèle de femme libérée, aux robes et cheveux courts, qui vit pour elle-même, tout comme un homme, et qui, de ce fait, n'est plus tout à fait une femme, selon l'idéologie dominante de l'époque.

L'établissement du régime de Vichy, à la suite de la capitulation de 1940, ne fera que renforcer ce modèle, au point d'idéaliser pour les femmes la maternité et le foyer. Le modèle familial n'est plus seulement un modèle dominant, c'est bien plus la France dans son ensemble qui est devenue une grande famille. Dans cette vision, le père en est le maréchal Pétain, il a la charge de guider les Français, ses enfants, et de les remettre dans le droit chemin, après les errements qui ont mené à la défaite et la décadence. La famille est alors l'institution sur laquelle s'appuie le régime, et qui prime sur les intérêts de ses membres, tout comme la patrie, expression de l'intérêt général, prime sur les intérêts particuliers. La répartition des rôles est très clairement exprimée, le père est le détenteur de l'autorité, il s'exprime dans le travail, la mère est la gardienne du foyer, elle est le dépositaire de l'amour. Les femmes ne peuvent alors s'accomplir que dans la maternité, seule destinée socialement possible pour elles : « Par l'accomplissement consenti et actif de leur destin de mères, Vichy propose aux femmes de retrouver les vertus de la vraie féminité, la seule capable de concilier bonheur personnel et utilité sociale, la seule conforme aux valeurs de la Révolution nationale et à l'œuvre de régénération qu'elle entreprend. Devenue mère, la femme accède au panthéon des modèles sociaux vichyssois, à l'égal du paysan et de l'artisan, gardienne comme eux d'une tradition faite d'abnégation, de patience quotidienne, d'amour du travail bien fait. »[1]

C'est d'ailleurs sous le régime de Vichy que la fête des mères, appelée « journée des mères », prend toute sa reconnaissance sociale. Dans ce contexte, tout ce qui éloigne les femmes de la maternité est réprimé car « immoral, contre nature et fatal à la patrie ». L'avortement est un acte qualifié de « nuisible au peuple français ». La loi du 15 février 1942 réprime très fortement ceux qui aident les femmes à avorter. C'est ainsi qu'une femme reconnue coupable d'avoir pratiqué un avortement est guillotinée, pour l'exemple, en juillet 1943. De même, le divorce, dont la procédure s'était assouplie au cours des années trente, est rendu plus difficilement accessible par le gouvernement de Vichy. Par l'ensemble de ces mesures, le gouvernement de Pétain tente d'effacer la frontière entre l'ordre public et la moralité privée.

En 1946, le préambule de la Constitution pose le principe de l'égalité des droits entre hommes et femmes dans tous les domaines. Mais au-delà de la déclaration d'intention, ce ne sera qu'à partir des années soixante, avec l'avènement de la Ve République, qu'interviendront les principales mesures conduisant à de réels progrès dans l'émancipation de la femme, au premier rang desquelles il faut citer la loi Neuwirth de 1967, autorisant la contraception, celle de 1970, substituant la notion d'autorité parentale à celle d'autorité paternelle, la loi Weil de 1975, autorisant l'interruption volontaire de grossesse, ou encore, toujours en 1975, celle instituant le divorce par consentement mutuel.

L'ensemble de ces mesures ont été prises dans un laps de temps relativement court, à l'échelle de l'histoire. Elles témoignent d'un processus de libéralisation récent du statut des femmes, c'est-à-dire de leur émancipation par rapport aux tâches domestiques dans lesquelles elles ont été

1. H. Eck, « Les françaises sous Vichy : femmes du désastre, citoyennes par le désastre ? », dans G. Duby, M. Perrot, *op. cit.*, t. 5, p. 189.

confinées pendant des siècles. Ces mesures n'ont en fait été rendues possibles qu'à partir du moment où les femmes sont devenues majeures sur le plan civique, « éclairées » sur le plan de l'instruction et plus visibles sur le marché du travail, c'est-à-dire plus autonomes par rapport aux formes familiales d'activité. Elles ont pu ainsi prendre une certaine distance vis-à-vis des rôles conjugaux et maternels qui ont longtemps entièrement prédéfini leur identité sociale. La libéralisation des femmes n'est cependant pas totale, et suit, là encore, l'échelle des positions sociales.

Le XVIII⁰ siècle a incontestablement été le siècle des droits de l'homme, c'est-à-dire de façon restrictive, des droits du genre masculin. Il faudra attendre le XX⁰ siècle pour que les revendications des femmes se transforment en acquis. Les droits octroyés aux femmes au cours de ces dernières décennies ont en fait été arrachés de haute lutte. À l'instar des mouvements ouvriers (Front populaire) ou étudiants (mouvement de Mai 68), les revendications des femmes comptent parmi les mouvements sociaux qui ont marqué ou secoué la société française contemporaine. Leurs luttes pour la libération de leur corps (pour le droit à la contraception et à l'avortement), pour leur droit au travail (pour l'égalité des salaires et des conditions de travail, contre les discriminations à l'embauche...), etc., émanent le plus souvent de femmes issues de la bourgeoisie ou des élites intellectuelles, politiques ou syndicales. Ces actions sont généralement rassemblées sous le terme unificateur de mouvement (au singulier) des femmes ou encore de « mouvement féministe[1] ». Cette dernière étiquette

---

1. Les mouvements féministes ainsi nommés sont déjà repérables au XIX⁰ siècle. L'adjectif « féministe » date de 1872. Le substantif « féminisme » définissant (selon le dictionnaire *Petit Robert*) la doctrine qui préconise l'extension des droits, du rôle de la femme dans la société date, quant à lui, de 1837.
Parmi les différentes actions des femmes qui ont défrayé la chronique des années 1970, on citera pour mémoire le « Manifeste des 343 » publié par *Le Nouvel Observateur* en 1971, où des femmes parfois très connues du monde politique et de la société civile (écrivains, enseignantes, journalistes, avocates...) prirent position en faveur de l'avortement libre, ainsi que le procès de Bobigny en 1972.

n'est certainement pas neutre et reflète probablement les sentiments et les intérêts contradictoires qui ont opposé les deux sexes. Le terme « féministe » traduit sans doute le caractère organisé et catégoriel de ce mouvement des femmes, son volontarisme identitaire. Mais nul doute également que cet adjectif (et son suffixe « iste ») ne traduise le caractère jugé « agressif » et excessif de ses revendications par les hommes – mais aussi par certaines femmes –, c'est-à-dire la méfiance et la réprobation morale d'une grande partie de la société masculine qui l'a vu naître et conquérir de nouvelles libertés.

REPÈRES HISTORIQUES
DANS L'ÉVOLUTION DES DROITS CIVILS
DES FEMMES

Période révolutionnaire

1791 La Constitution de 1791 laïcise le mariage et libère juridiquement la femme du poids de l'Église.

1792 Loi sur le divorce qui reconnaît l'égalité des époux et le droit de divorcer par consentement mutuel. Mais ce mode de séparation, étant jugé mettre l'institution de la famille en péril, sera très rapidement abrogé. Il ne réapparaîtra qu'en 1975.

Période napoléonienne

1804 Le Code civil consacre l'incapacité juridique totale de la femme mariée. L'article 213 énonce : « Le mari doit protection à sa femme, la femme doit obéissance à son mari. » La femme est alors considérée comme une mineure, sous la dépendance de son mari.

1810 La femme adultère est passible de prison, l'homme adultère d'une amende.

IIIᵉ République

1897 La femme a la possibilité de témoigner dans les actes d'état-civil ou notariés.

1907 Les femmes mariées ont la possibilité de disposer librement de leur salaire.

1938 Loi supprimant l'incapacité civile relative à la personne pour la femme mariée.

Gouvernement de Vichy

1942 L'avortement qui était un délit devient un crime contre la sûreté de l'État (Vichy), les femmes qui interrompent leur grossesse sont sévèrement réprimées, et la personne qui réalise l'avortement, passible de la peine de mort.

Libération

1944 Ordonnance du Conseil national de la résistance du 21 avril signée par le général de Gaulle donnant aux femmes le droit de vote et d'être élues.

IVe République

1946 Le principe de l'égalité des droits entre hommes et femmes dans tous les domaines est pour la première fois posé dans le préambule de la Constitution.

Ve République

1965 Réforme des régimes matrimoniaux destinée à accroître les pouvoirs des femmes mariées sur les biens communs. Le mari ne peut plus s'opposer à l'exercice de l'activité professionnelle de sa femme.

1967 Loi Neuwirth autorisant la contraception.

1970 L'autorité parentale se substitue à l'autorité paternelle : les deux époux assurent ensemble la direction morale et matérielle de la famille.

1975 Loi Weil (provisoire) qui autorise l'interruption volontaire de grossesse.
Instauration du divorce par consentement mutuel.

1979 Loi définitive sur l'interruption de grossesse.

1982 Remboursement par la Sécurité sociale de l'interruption volontaire de grossesse.

1984 Congé parental ouvert à chacun des parents salariés sans distinction de sexe.

1985 Loi renforçant l'égalité des époux dans la gestion des biens de la famille.
Possibilité d'ajouter au nom de l'enfant le nom de l'autre parent (en général celui de la mère).

1991 Loi autorisant, sous certaines conditions, la publicité pour les contraceptifs.

1999 Révision de l'article 3 et 4 de la constitution portant égal accès des hommes et des femmes aux mandats électoraux et aux fonctions électives.

Chapitre II

L'ÉCOLE DES FEMMES

L'École constitue sans doute le domaine où l'émancipation des femmes a été la plus spectaculaire. Au cours du XXᵉ siècle, elles ont massivement accédé à l'instruction publique, au point de devenir statistiquement dominantes au sein du système éducatif. Comme nous l'avons vu dans le chapitre I, les deux siècles précédents avaient préalablement posé la question de la légitimité de l'éducation des femmes. Le XVIIIᵉ siècle avait témoigné – tout au moins sur le plan des idées philosophiques, et non sans débats – de la nécessité morale de l'accès des femmes à l'instruction. Le XIXᵉ siècle avait, pour sa part, jeté – non sans remous et difficultés – les bases législatives qui favoriseront ultérieurement cet accès. On dira que le XXᵉ siècle marque l'épreuve des faits. Il signifie à la fois le rattrapage par les femmes de leur retard séculaire en matière d'instruction, leur avancée en matière de réussite scolaire, mais aussi, revers de cette émancipation, la rencontre de nouvelles inégalités, notamment en matière d'orientation.

I. – La féminisation de l'École au XXᵉ siècle

Historiens et sociologues identifient le XXᵉ siècle comme le siècle de la diffusion de la scolarité à l'ensemble des couches sociales. Réservé jusqu'alors à la jeunesse bourgeoise, l'accès aux études va connaître une réelle extension. À partir des années cinquante, on peut même utiliser l'expression d' « explosion scolaire » tant il est vrai que la scolarisation devient un « phénomène de masse ». L'accroissement de la demande d'éducation est d'abord visible à travers l'augmentation spectaculaire des effectifs du secondaire et de l'enseignement supérieur[1]. Il l'est également à travers le meilleur niveau scolaire d'ensemble atteint par les nouvelles générations d'élèves : six jeunes sur dix issus d'une même classe d'âge accèdent au niveau baccalauréat à la rentrée 1999, contre un sur dix en 1960, soit six fois plus. Voilà qui atteste les profonds changements qui ont modifié le paysage éducatif français[2].

1. La démocratisation en question. – La prolongation de la scolarité constitue sans doute la composante la plus remarquable des transformations de la jeunesse. Elle résulte d'une forte demande d'éducation de la part des familles, mais également d'une plus grande exigence de diplômes, pour pallier les difficultés croissantes d'entrée sur le marché du travail. Ceci explique que les statuts de lycéen ou d'étudiant s'imposent de plus en plus comme les termes de référence de la jeunesse, en lieu et place des termes d'apprentis ou de jeunes travailleurs. Selon J.-C. Chamboredon, « le statut d'étudiant fait loi et tend à s'imposer comme forme première, voire unique, de la jeunesse »[3].

L'ampleur de ce phénomène ne peut s'expliquer par de simples mouvements démographiques : la croissance des effectifs scolarisés est en effet nettement plus rapide que celle des effectifs des classes d'âge correspondantes. Elle ne résulte pas non plus, comme le montre la progression

1. Les effectifs du secondaire passent, au cours de la décennie 1950-1960, de 1 million à plus de 3 millions.
2. L'article 3 de la loi d'orientation de 1989 stipule que « la Nation se fixe comme objectif de conduire d'ici dix ans l'ensemble d'une classe d'âge au minimum au niveau du certificat d'aptitude professionnelle ou du brevet d'études, et 80 % au niveau du baccalauréat ». Le taux d'accès au niveau du baccalauréat est en 1999 de 62 % (Source : *Repères et références statistiques*, Éd. 2000).
3. J.-C. Chamboredon, « Classes scolaires, classes d'âge, classes sociales : les fonctions de scansion temporelle du système de formation », *Enquête, Cahiers du Cercom*, n° 6, 1991, p. 126.

des effectifs de l'enseignement supérieur, de l'allongement à 16 ans de la scolarité obligatoire. La scolarisation se poursuit bien au-delà de 16 ans, à telle enseigne qu'au début des années quatre-vingt-dix plus d'un jeune sur deux, âgé de 18 à 21 ans, est scolarisé[1]. On peut alors se demander si elle n'est pas la conséquence d'un mouvement de démocratisation[2] qui aurait gagné le système éducatif. Un certain nombre d'enquêtes répondent à cette question en montrant, statistiques à l'appui, que l'origine sociale n'a cessé de conditionner fortement la poursuite des études. En fait, les inégalités de classes se perpétuent au sein d'un système d'enseignement secondaire en apparence plus ouvert ou plus accueillant : les enfants de cadres continuent à être surreprésentés dans les filières générales alors que les enfants d'ouvriers sont proportionnellement plus nombreux dans les classes technologiques ou dans l'enseignement professionnel.

L'essor de la scolarisation ne signifie donc pas la fin des inégalités sociales face à l'enseignement. Il correspond plutôt à un mouvement de féminisation du public scolaire, longtemps resté méconnu. Cette féminisation est un tournant majeur dans l'histoire contemporaine, et peut être interprété comme un « rattrapage » scolaire par les filles. En 1940, on comptait en effet deux fois moins de filles scolarisées dans le secondaire que de garçons. Dès 1971, le fossé est définitivement comblé, les filles « obtiennent l'égalité des chances », selon l'expression de R. Establet[3]. Autrement dit, elles deviennent aussi nombreuses que les garçons à « accomplir pleinement une scolarité secondaire », par l'obtention du baccalauréat. Elles ont, depuis, distancé les garçons. Les statistiques du début des années quatre-vingt-dix montrent que la majorité des bacheliers sont des bachelières (55 %), et plus largement que les filles ont atteint un taux de scolarisation

1. *INSEE Première,* « De l'école à l'emploi : les 16-25 ans en mars 1991 », n° 189, avril 1992.
2. A. Prost, *L'enseignement s'est-il démocratisé ?,* Paris, PUF, 1986.
3. R. Establet, *L'école est-elle rentable ?,* Paris, PUF, 1987.

supérieur à celui des garçons, y compris aux âges les plus avancés, au point que l'on puisse conclure qu'elles ont une « carrière scolaire » plus longue que celle des garçons.

L'enseignement supérieur est de ce point de vue le témoin privilégié de la plus grande présence des filles dans l'école. L'évolution spectaculaire de ses effectifs le rappelle. C. Baudelot et R. Establet ne s'y trompent pas quand ils choisissent de souligner la formidable évolution du nombre des étudiantes pour tirer argument que le XXᵉ siècle est le grand siècle de l'instruction des femmes[1]. Quasi inexistantes en 1900, les étudiantes sont majoritaires dès 1975.

Fig. 1. — Étudiants : les filles dépassent les garçons. Évolution des effectifs étudiants depuis 1900.

Source : INSEE, Champ : étudiants français seulement ; C. Baudelot, R. Establet, *Allez les filles !*, Paris, Seuil, 1992, p. 12.

1. C. Baudelot, R. Establet, *Allez les filles !*, Paris, Seuil, 1992, p. 9.

En quelques décennies, l'enseignement supérieur a complètement changé d'échelle, les effectifs étudiants dépassant les deux millions d'inscrits[1] dès le milieu des années quatre-vingt-dix. Comme pour le secondaire, c'est la féminisation de l'Université qui a largement contribué à leur essor, bien plus que la réduction des inégalités sociales face à l'enseignement.[2]

La forte progression des filles, tant dans le secondaire que dans le supérieur, ne constitue cependant pas un progrès indépendant des autres logiques sociales à l'œuvre dans le système éducatif. Si l'on suit R. Establet, on peut constater que « le déploiement des scolarités féminines s'est effectué dans l'ordre des inégalités établies »[3]. En d'autres termes, les scolarités des filles des milieux populaires ressemblent plus à celles des garçons issus des mêmes milieux qu'aux scolarités des filles des milieux privilégiés. La féminisation de l'enseignement est d'abord passée par les couches supérieures. Son extension aux couches populaires n'a été que progressive et limitée. L'accès de plus en plus massif des filles à l'école reproduit les inégalités de représentation des différentes classes sociales dans l'école. L'Université, et plus largement le système éducatif se seraient donc plus féminisés que démocratisés.

2. **La mixité de l'enseignement.** – Cet allongement de la scolarité, conséquence de la « libéralisation de l'accès à l'école », a donc principalement profité aux filles. On ne peut s'empêcher de mettre en parallèle le net mouvement de scolarisation, amorcé dans les années soixante, avec la généralisation de la mixité des établissements scolaires au

1. Source : *Repères et références statistiques,* Éd. 2000. Ce chiffre comprend l'Université, les Instituts universitaires de technologie (IUT), les Sections de techniciens supérieurs (STS) et les Grandes Écoles.
2. À eux seuls, en 1999, les enfants de cadres sont majoritaires dans les classes préparatoires aux grandes écoles. Ils sont également surreprésentés au sein des filières longues de l'Université, alors que les filières courtes, et notamment les Sections de techniciens supérieurs (STS), recrutant davantage parmi les enfants d'employés et d'ouvriers.
3. R. Establet, *op. cit.*

début de la Vᵉ république. Comme le rappellent C. et F. Lelièvre, « jusqu'à la fin des années cinquante, la coéducation des jeunes filles et des jeunes gens reste marginale. La règle générale est la non-mixité des enseignés (et des enseignants) »[1].

Exceptées les écoles maternelles qui sont mixtes depuis leur création, l'histoire de la scolarisation depuis l'Ancien Régime consacre la séparation des écoles de filles et de garçons, sans qu'à aucun moment le principe de la division scolaire entre les sexes ne soit remis en cause. Et les quelques exemples de mixité enregistrés dans la première moitié du XXᵉ siècle apparaissent avant tout comme des solutions contraintes pour faire face à différents problèmes d'organisation matérielle (pénurie de personnels, particulièrement au lendemain de la Première Guerre mondiale, ou bien pénurie de locaux). Il faut attendre le début des années quatre-vingt « pour que la mixité se voie assigner explicitement une finalité nettement féministe et égalitariste »[2] : la circulaire du 22 juillet 1982 précise l'objectif d' « assurer la pleine égalité des chances » entre les filles et les garçons, par la *« lutte contre les préjugés sexistes » ;* et de *« faire disparaître toute discrimination à l'égard des femmes ».* Les classes étant enfin mixtes, les filles ont alors la possibilité d'accéder aux mêmes filières et diplômes que les garçons, du moins en théorie car, dans la pratique, l'égalité des choix d'orientation reste encore un vœu pieux, comme nous le détaillerons plus loin.

II. – La réussite scolaire des filles

Quelles conséquences cette féminisation de l'école a-t-elle sur la réussite scolaire ? Dans les faits, les performances des filles rivalisent depuis longtemps avec celles

1. C. Lelièvre, F. Lelièvre, *Histoire de la scolarisation des filles,* Paris, Nathan, p. 173.
2. C. Lelièvre, F. Lelièvre, *op. cit.,* p. 179.

des garçons. On devrait même ajouter, pour être plus précis, que leur scolarité, tant au cours du primaire que du secondaire, est généralement plus brillante.

1. L'enseignement primaire : une scolarité féminine plus fluide. – En l'absence de tout examen sanctionnant la scolarité dans l'enseignement primaire, la réussite des garçons et des filles peut être mesurée à l'aune de deux indicateurs : d'une part, les taux de redoublement et, d'autre part, les « évaluations nationales » à l'entrée du Cours élémentaire deuxième année (CE2), portant sur les connaissances en français et en mathématiques.

L'enseignement primaire, lieu des apprentissages de base, est une étape décisive car un redoublement précoce hypothèque gravement les chances d'accéder au lycée. Jugeons-en plutôt : en 1980, 93 % des élèves ayant redoublé le cours préparatoire (CP) n'accédaient pas en seconde[1]. On peut alors comparer le primaire à un parcours d'obstacles qu'il importe de franchir sans encombre, afin de poursuivre sa scolarité dans les meilleures conditions. À ce jeu, les filles sont meilleures que les garçons, puisqu'à l'issue du primaire, elles sont plus nombreuses à n'avoir jamais redoublé une classe : 68,9 % d'entre elles sont à l'heure, alors que seulement 62,2 % des garçons sont dans ce cas[2].

Si les parcours scolaires des filles sont dans l'ensemble moins sujets à redoublement, c'est que, fort logiquement, leurs performances scolaires sont meilleures, notamment en français, où elles distancent nettement les garçons.

Il faut cependant signaler que le sexe n'intervient qu'au second rang dans la détermination de la réussite scolaire qui s'explique essentiellement par l'origine sociale et l'âge des élèves. Ces deux dernières variables conjuguent leurs effets, puisqu'il a été établi que les élè-

---

1. INSEE, *Données sociales*, Éd. 1984.
2. M. Duthoit, « L'enfant et l'école », *Éducation et formations*, n° 16, 1988.

Tableau 1 — **Proportion de bonnes réponses en français et en mathématiques à l'entrée au CE2 en 1999 selon l'origine sociale, l'âge et le sexe (en %)**

	Profession du père				Âge		Sexe	
	Cadres et Profes. Intellect. Supérieures	Profes-sions intermé-diaires	Em-ployés	Ou-vriers	8 ans ou moins	9 ans ou plus	G	F
Français	74,2	70,5	68,4	61,6	68,6	55,4	65,3	68,0
Mathématique	72,9	69,3	67,1	62,0	67,6	57,6	66,8	65,3

Source : *Repères et Références Statistiques*, Éd. 2000.

ves d'origine sociale modeste sont à la fois plus âgés aux différentes classes d'enseignement et plus faibles dans leurs résultats scolaires[1].

2. L'enseignement secondaire : une meilleure « survie » féminine. – On retrouve dans l'enseignement secondaire ces différences de réussite entre garçons et filles. C'est ce que révèlent deux enquêtes par panel[2] qui, en dépit d'une relative démocratisation de l'enseignement secondaire, soulignent l'influence persistante de l'origine sociale : au fur et à mesure que l'on gravit l'échelle sociale, la proportion de bacheliers ne cesse de croître. Moins d'un enfant d'ouvrier sur deux décroche son diplôme, contre près de neuf enfants de cadres sur dix.

1. Cf. notamment M. Duru-Bellat, *L'école des filles*, L'Harmattan, 1990, p. 34, et J.-P. Terrail, « Destins scolaires de sexe : une perspective historique et quelques arguments », *Population*, 3, 1992.
2. Enquêtes réalisées par le ministère de l'Éducation nationale auprès des élèves entrés en sixième respectivement en 1980 et 1989. Elles ont consisté à suivre les élèves depuis leur entrée en sixième jusqu'à leur sortie de l'enseignement secondaire, à quelque niveau qu'elle se situe.

Mais le sexe n'en reste pas moins une variable discriminante : les parcours féminins dans le secondaire conduisent plus fréquemment au baccalauréat, quelle que soit la catégorie sociale d'origine. Les évolutions entre ces deux enquêtes par panel, qui voient les filles comme les garçons augmenter leurs chances d'accéder au baccalauréat, confirment le maintien de la suprématie féminine dans ce domaine.

Tableau 2 — **Proportion de bacheliers**
parmi les entrants en sixième en 1980 et 1989 (en %)

	1980	1989
selon l'âge en 6ᵉ		
11 ans et moins	53	74
12 ans	10	30
13 ans et plus	2	12
selon la profession du père		
Agriculteur, exploitant	38	70
Artisan, commerçant	41	60
Cadre, profession intell. sup.	76	86
Profession intermédiaire	50	71
Employé	34	56
Ouvrier	23	48
selon le sexe de l'élève		
Garçon	33	54
Fille	43	68

Source : Ministère de l'Éducation nationale, panel d'élèves du second degré, 1980 et 1989. *Repères et références statistiques*, Éd. 2000.

3. **Les déterminants de la réussite des filles.** – Comment interpréter le fait que les filles parcourent le cursus scolaire d'un pas plus allègre que les garçons ? Deux explications de nature différente sont généralement avancées. La première repose sur l'idée que les filles intériorisent plus facilement les normes culturelles prônées par l'École. En d'autres termes, « la définition sociale de la féminité » (...) entrerait « plus facilement en adéquation

avec les normes de l'institution »[1]. Elles seraient plus dociles, ce qui, en retour, leur donnerait une meilleure survie dans le système. Cette interprétation s'appuie en définitive, comme le montre J.-P. Terrail[2], sur une conception passive du rôle des filles à l'École. En réalité, la passivité présumée des filles est à mettre sur le compte d'un regard masculin qui reproduit les stéréotypes de sexes.

La seconde explication met en avant les qualités dynamiques des filles à travers leur investissement dans les études. Elle montre que les filles sont plus studieuses que les garçons, qu'elles consacrent plus de temps à leur travail scolaire, et qu'elles n'attendent pas le dernier moment pour faire leurs devoirs[3] ou encore qu'elles lisent davantage[4]. En résumé, elles manifestent un plus grand « esprit de sérieux », et investissent plus dans leurs études que les garçons. Cet investissement a une signification sociale : l'École sert de tremplin aux femmes pour investir le marché du travail.

On doit enfin souligner, pour comprendre la meilleure réussite des filles à l'École, le rôle des parents et du corps enseignant dans la scolarité des élèves. Les redoublements traduisent à ce sujet les différences d'attitude des adultes selon le sexe des enfants. Si tout au long du primaire, redoubler une classe fait figure d'indicateur d'échec, il n'en va pas aussi nettement de même dans le secondaire, notamment lors des paliers d'orientation (classes de troisième et de seconde). Le redoublement peut alors signifier le refus de l'élève ou de sa famille d'une orientation non désirée. C'est ainsi qu'on observe chez les garçons des redoublements volontaires plus fréquents en classe de seconde, afin de préserver leurs chan-

1. G. Felouzis, *Filles et garçons au collège. Comportements, dispositions et réussite scolaire en sixième et cinquième*, thèse de doctorat, Université de Provence, 1990.
2. J.-P. Terrail, 1992, *op. cit.*
3. J.-P. Terrail, 1992, *op. cit.*
4. F. de Singly, *Lire à douze ans,* Paris, Nathan, 1989.

ces de se maintenir dans la « voie royale » en accédant l'année suivante en première scientifique. Sans compter que les conditions dans lesquelles sont décidés les redoublements ne sont pas toujours transparentes : « La décision de faire redoubler un élève traduit en effet à la fois un constat (des difficultés actuelles) et un pronostic (d'amélioration possible). Ce dernier va donc incorporer un jugement des maîtres dont on sait qu'il est susceptible d'être modulé par le sexe de l'élève. »[1] À ce compte-là, les filles bénéficieraient d'une « discrimination positive », essentiellement en raison de leur comportement plus conforme aux attentes et valeurs de l'institution scolaire. La plus grande « mansuétude » des enseignants aurait des effets indéniables sur leur appréciation de la performance scolaire. Le résultat est qu'une fille passera plus aisément dans la classe supérieure, quitte à être orientée dans une filière littéraire ou administrative, alors qu'un garçon saura mieux garder le cap sur les filières scientifiques, quitte à concéder un redoublement.

Quoi qu'il en soit, la réussite scolaire des filles dans l'enseignement secondaire est indéniable. Leur niveau de formation a rapidement progressé. Alors qu'en 1945, sur une génération, 3,7 % des filles et 4,8 % des garçons devenaient bacheliers, au baccalauréat de l'an 2000, cette proportion est de 67,6 % pour les filles et de 55,8 % pour les garçons[2]. Mais cette réussite – globale – des filles ne peut toutefois occulter les inégalités de sexes qui perdurent dans le système éducatif.

III. – Filières masculines et filières féminines

Sous une unité de façade, que viennent renforcer des expressions comme l'École, le collège unique, ou encore le baccalauréat, toujours utilisées au singulier, le système éducatif est en réalité très stratifié. Les meilleures perfor-

1. M. Duru-Bellat, *op. cit.,* p. 46.
2. Source : DPD, *Note d'information,* n° 01-24, 2001.

mances des filles ne peuvent masquer une inégalité d'orientation. Les filles ne font pas les mêmes études que les garçons. La mixité de l'École, le mélange officiel des sexes ne conduisent pas à une réelle égalité des chances d'accès aux différentes filières. Pour elles, cela se traduit, à terme, par l'obtention de diplômes différents, généralement moins valorisés sur le marché du travail.

1. **Un enseignement professionnel cloisonné.** – Les filles, nous l'avons vu, sont majoritaires dans le secondaire général. De même, elles représentent près de la moitié des effectifs de l'enseignement professionnel : 46,1 % en 1999, soit plus de 321 000 élèves[1]. Mais cette parité ne doit pas faire illusion. Il faut en effet s'interroger sur le statut de cet enseignement professionnel, sur ses modalités d'accès, ainsi que sur le caractère sexué de ses filières.

L'enseignement professionnel n'est pas organisé en un cursus, menant à des niveaux de qualification élevés, sanctionnés par un diplôme, comme c'est le cas en Allemagne[2]. Les différents niveaux qui le composent sont relativement indépendants et cloisonnés. Pour un élève, le BEP ne fait que rarement suite à un CAP. Les différents niveaux de l'enseignement professionnel sont beaucoup plus souvent alimentés par des élèves en situation d'échec dans l'enseignement général. Autrement dit, l'enseignement professionnel est souvent un cul-de-sac où les jeunes ne s'engagent qu'après avoir atteint leurs limites au sein de l'enseignement général : les élèves inscrits en CAP proviennent essentiellement des classes de cinquième, ceux inscrits en BEP des classes de troisième des collèges.

L'enseignement professionnel représente encore largement une orientation « faute de mieux », une voie de relégation, puisqu'il est essentiellement alimenté par les élè-

---

1. Source : *Repères et références statistiques,* Éd. 2000.
2. Sur ce point, cf. M. Maurice, F. Sellier, J.-J Silvestre, *Politique d'éducation et organisation industrielle en France et en Allemagne. Essai d'analyse sociétale,* Paris, PUF, 1982.

ves qui ont accumulé du retard au cours de leur scolarité générale. Généralement moins retardataires que les garçons, les filles subissent donc moins souvent cette relégation vers l'enseignement professionnel court (CAP, BEP). À l'heure ou en avance à l'entrée en sixième, leur probabilité d'intégrer cet enseignement est faible, voire pratiquement nulle. C'est essentiellement lorsqu'elles sont en situation de retard caractérisé qu'elles prennent cette voie.

L'enseignement professionnel est cloisonné, la ségrégation sexuelle y règne en maître. Les filles investissent les formations préparant à un métier du secteur tertiaire (secrétariat, comptabilité, hôtellerie...), et les garçons accèdent à celles menant à des emplois du secteur secondaire (bâtiment, mécanique, électricité...). Jugeons plutôt : les filles représentent l'essentiel des candidats aux CAP du sec-

Tableau 3 — **Effectifs d'élèves préparant un CAP
ou un BEP par spécialité de formation
en 1999-2000**

	Effectifs en année terminale	dont filles	% filles
Domaine de la production	**111 875**	**13 627**	**12,2**
dont :			
Habillement	8 162	7 920	97,0
Spécialité matériaux souples	572	555	97,0
Textile	194	106	54,6
Agro-alim. Alimentation, cuisine	3 298	1 325	40,2
Transf. chimiques	1 132	300	26,5
Mines, carrières génie civil	3 515	497	14,1
Bâtiment : finitions	2 446	180	7,4
Travail bois et ameublement	8 362	335	4,0
Mécanique générale	12 992	409	3,1
Électricité, électronique	31 474	697	2,2
Bâtiment : construction	2 205	41	1,9
Spécialité mécanique-électricité	11 356	173	1,5
Moteurs et mécanique auto.	8 675	89	1,0
Structures métalliques	9 420	69	0,7
Énergie, génie climatique	3 963	19	0,5

Source . *Repères et références statistiques*, MEN, Éd. 2000.

teur tertiaire (78,6 % en 1988), alors que les garçons composent la quasi-totalité des candidats aux CAP du secteur secondaire (84,9 %). Lorsque d'aventure les filles suivent une formation professionnelle du secteur secondaire, loin d'être mêlées aux garçons, elles sont, tout au contraire, confinées dans le textile et l'habillement, formations féminisées pratiquement à 100 %.

2. **Le sexe du baccalauréat.** – Les filles sont en proportion plus nombreuses à se présenter et à réussir au baccalauréat, qu'il soit général ou technique. Ce n'est donc pas sur ce plan que les inégalités de sexe se manifestent, mais plus finement dans l'accès aux différentes séries de baccalauréat.

Dans l'enseignement général, il existe des filières de prédilection pour les filles, distinctes de celles des garçons. Les filles constituent l'écrasante majorité des candidats aux baccalauréats littéraires (80 % toutes séries confondues) mais restent minoritaires parmi les candidats au baccalauréat scientifique de la série S (42,3 %), généralement considéré comme le plus prestigieux. Sous couvert d'une mixité officielle, une véritable ségrégation s'opère en fait, tout au long du secondaire, qui pourrait se résumer ainsi : aux filles, le quasi-monopole des sections littéraires, et aux garçons, l'essentiel des sections scientifiques ! Quand les filles accèdent à ces dernières, leur présence s'effrite au fur et à mesure que l'on avance dans les études (fig. 2).

Dans l'enseignement technique, les filles se dirigent plutôt vers les baccalauréats tertiaires, et les garçons vers les baccalauréats industriels, reproduisant ainsi la même logique de cloisonnement repérée dans l'enseignement professionnel court. La relégation des filles dans les filières tertiaires a pour conséquence de réduire l'étendue de leurs choix professionnels et traduit leur impossibilité d'accéder aux métiers techniques de l'industrie, considérés comme « naturellement » masculins.

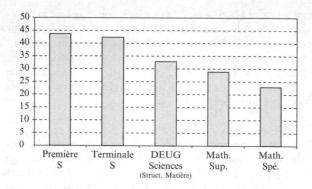

Fig. 2. — Proportion de filles dans les filières scientifiques (en %).
Source : MEN, *Repères et références statistiques,* Éd. 2000.

3. **Un enseignement supérieur à deux vitesses.** – La caractéristique majeure de l'enseignement supérieur français est d'être bicéphale, avec d'un côté l'Université et de l'autre les grandes écoles. Pour l'année 1999-2000, les effectifs universitaires étaient de 1 398 551 inscrits. Pour cette même année, les écoles d'ingénieurs, publiques ou privées, comptaient 85 360 étudiants. C'est donc essentiellement l'Université qui a accueilli les nouvelles générations de bacheliers et de bachelières en enregistrant une croissance de 70 % depuis le début des années quatre-vingt. Les grandes écoles ont eu, quant à elles, tout loisir d'exercer un contrôle beaucoup plus strict sur les flux d'entrée. Même si elles ont connu une croissance assez élevée de leurs effectifs, la remarque que faisait L. Boltanski au début des années quatre-vingt reste de mise : la croissance a été d'autant moins forte que ces écoles occupaient un niveau élevé dans la hiérarchie[1].

Au sein de l'enseignement supérieur, c'est à l'Université que vont les filles. Celles-ci n'ont qu'un accès très

1. L. Boltanski, *Les Cadres,* Paris, Éditions de Minuit, 1982.

Tableau 4. — **Garçons et filles présentés
et reçus selon les séries du baccalauréat en 1999**

	Effectifs des présentés	% filles	Effectifs admis	% filles	% admis sur présentés garçons	filles
Arts	15 291	78,5	11 823	79,4	74,1	78,2
Langues anciennes	3 375	81,6	2 924	82,1	84,1	87,2
Langues vivantes	43 645	82,7	34 833	83,5	75,8	80,6
Littéraires option mathématiques	16 375	81,4	12 783	82,9	71,6	79,5
Total littéraires	*78 686*	*81,5*	*62 363*	*82,6*	*74,9*	*80,2*
Biologie Écologie	1 802	33,9	1 365	34,8	74,7	77,7
Mathématiques	51 749	40,1	42 905	41,4	81,0	85,7
Physique chimie	45 511	39,6	35 486	41,4	75,7	81,5
Sciences Vie et Terre	54 940	54,3	38 750	57,9	65,0	75,2
Technique Industrie	11 989	9,0	9 660	8,8	80,7	79,3
Total scientifiques	*165 991*	*42,3*	*128 166*	*43,9*	*75,2*	*80,0*
Option Langues vivantes	21 896	67,2	17 739	68,9	76,8	83,1
Option Mathématiques	40 894	61,0	33 487	62,0	79,7	83,3
Sciences économiques et sociales	32 226	57,6	24 530	58,6	74,3	77,5
Total Sciences économiques et sociales	*95 016*	*61,3*	*75 756*	*62,5*	*77,1*	*81,4*
Ensemble Bac général	*339 693*	*56,7*	*266 285*	*58,2*	*75,6*	*80,5*
Total STI	49 370	7,5	36 196	7,9	73,0	77,5
Total STL	7 799	52,8	6 262	54,1	78,2	82,2
Total STT	98 614	63,7	79 441	65,8	76,0	83,2
Ensemble Bac techno.	*189 838*	*50,7*	*149 103*	*53,2*	*74,5*	*82,5*
Ensemble Bac pro.	*113 630*	*42,0*	*88 296*	*42,8*	*76,6*	*79,3*

Source : Ministère de l'Éducation nationale. *Note d'information* 00.14 mai, MEN.

Le tableau se lit ainsi : 78,5 % des élèves présentés au baccalauréat de la série Littéraire « Arts » sont de sexe féminin.

limité aux grandes écoles : elles ne représentent que 22 %
des effectifs dans les écoles d'ingénieurs et 10 à 15 % dans
les plus prestigieuses (Polytechnique, ENS maths ou physique, Mines, Ponts...)[1]. Pourtant, ces dernières années,
une poussée féminine s'est manifestée, parfois de façon
très significative, dans certaines grandes écoles. C'est
ainsi que les filles représentent désormais depuis 1988
plus du tiers des élèves d'HEC (Hautes Études commercia-
les) et devenaient, la même année, majoritaires parmi les
élèves des classes préparatoires à cette même école. Cette
féminisation est toutefois encore loin d'être systématique.
Les écoles les plus prestigieuses sont celles où la percée
des filles est la moins probante, signe que la féminisation
y est encore à ses premières heures. En somme, lorsque
les filles intègrent les grandes écoles, elles le font le plus
souvent « par la petite porte » : la hiérarchie sociale et
symbolique qui régit ces institutions scolaires recouvre
une hiérarchie de sexes.

Quand on sait que le secteur privé recrute ses cadres
dirigeants essentiellement à la sortie de ces grandes écoles, on mesure l'ampleur de la tâche qui reste à accomplir
aux femmes pour accéder à une véritable égalité professionnelle. Évincées, la plupart du temps, de la course aux
postes à autorité et à pouvoir, quasi monopole des
grandes écoles les plus prestigieuses, les jeunes femmes
sont obligées de se rabattre sur l'Université et sur son
débouché traditionnel : le secteur public.

L'Université constitue-t-elle pour autant un refuge
éloigné des pratiques discriminatoires ? Si les filles sont
effectivement devenues majoritaires à l'Université, cela
s'est produit, pour près de la moitié d'entre elles, au prix
d'une relégation dans les disciplines littéraires. Cette relégation se manifeste en fait dès l'enseignement secondaire,
à travers l'engagement dans une voie littéraire qui

---

1. Cf. M. Duru-Bellat et A. Jarlégan, « Une scolarisation différen-
tielle », in T. Blöss (dir.), *La dialectique des rapports hommes-femmes*,
Paris, PUF, Coll. « Sociologie d'aujourd'hui », 2001.

s'appuie en partie sur les « affinités électives » idéologiquement présumées entre qualités féminines et qualités littéraires. Le choix d'orientation des filles à l'entrée des études supérieures est donc en réalité restreint. De plus, toutes choses égales par ailleurs, c'est-à-dire à âge, origine sociale, mention et série de baccalauréat équivalents, garçons et filles ne font pas le même usage de leur diplôme. Les filles titulaires d'un baccalauréat littéraire se dirigent principalement vers les formations littéraires en langues, lettres et sciences humaines, les garçons s'orientant de préférence vers les formations juridiques. De même, les filles titulaires d'un baccalauréat scientifique de série S accèdent plus rarement que les garçons aux grandes écoles et optent plutôt pour des études universitaires d'une durée généralement plus courte.

L'Université peut se définir comme un ensemble hiérarchisé de filières d'enseignement où ségrégation sexuelle et ségrégation sociale conjuguent leurs effets. On peut même se demander si le sexe ne constitue pas la variable principale dans l'orientation des étudiants au sein des différentes disciplines, reléguant ainsi l'origine sociale au rang de variable seconde, à l'inverse de ce que l'on a constaté dans l'enseignement secondaire.

Tout se passe donc comme si, pour devenir majoritaires au sein de l'Université française, les femmes devaient payer comme tribut une relégation dans les filières littéraires. Ce phénomène s'accompagne d'un « piétinement » dans les premiers cycles de l'institution. La présence des filles à l'Université, solidement établie depuis le milieu des années soixante-dix, se heurte en effet à certaines limites : elles ne sont majoritaires qu'au cours des premières années, c'est-à-dire dans le premier cycle d'enseignement. Dans le second et surtout dans le troisième cycle, leur présence est moins affirmée. Situation quelque peu paradoxale lorsqu'on sait que à l'entrée de l'Université, les filles sont plus « brillantes » que les garçons : elles sont dans l'ensemble plus jeunes et proportionnellement plus nom-

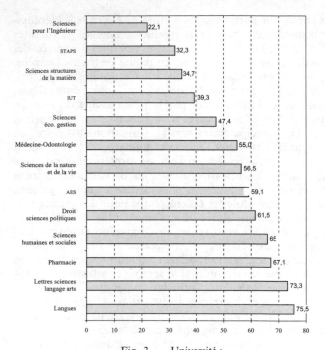

Fig. 3. — Université :
taux de féminisation selon la discipline suivie (en %).

Source : *Repères et Références Statistiques,* Éd. 2000.

breuses à avoir obtenu leur baccalauréat avec mention[1]. La logique méritocratique voudrait donc qu'elles conservent leur avantage. En réalité, on constate qu'à l'issue des études universitaires, les filles sont moins diplômées que les garçons. Autrement dit, il semble qu'elles ne parviennent pas à décrocher les diplômes que laisse espérer leur niveau d'excellence à l'entrée à l'Université. Cette situa-

1. C'est ce que nous avons constaté lors d'une enquête sur les étudiants de l'Université de Nice (cf. A. Frickey, « De l'université à la vie active : quelle insertion, quelle dévalorisation ? », *Enquête, Cahiers du CERCOM,* n° 3, 1986). Les filles étaient 38 % dans ce cas, contre 28 % des garçons.

tion n'est pourtant pas la conséquence d'une moindre réussite de leur part aux examens universitaires. Elle est sans doute le fruit de leur bifurcation, dès la licence, vers les concours administratifs (tableau 5). Les filières littéraires conduisent moins souvent à préparer un diplôme de troisième cycle (doctorat...). Elles sont principalement orientées vers les concours de la Fonction publique qui mènent aux métiers de l'enseignement (IUFM, Capes, Agrégation...), ou du travail social. La réussite aléatoire à ces concours conduit nombre de filles à quitter l'Université après cinq ou six années d'études, avec seulement une licence en poche.

Tableau 5. — **Les étudiants des universités par sexe et par cycle** (en%)

	1er cycle	2e cycle	3e cycle	Ensemble
Hommes	44,1	42,6	49,9	44,5
Femmes	55,9	57,4	50,1	55,5
Total	100,0	100,0	100,0	100,0
N	710 169	477 812	210 570	1 398 551

Source : *Repères et références statistiques*, Éd. 2000.

4. Les déterminants de l'orientation des filles. – Les séries littéraires, qui se sont féminisées au fil du temps, sont devenues peu à peu synonymes de restriction de choix. Certes, cette restriction des choix ne découle pas directement de la féminisation des effectifs, elle résulte plutôt de la prééminence qu'ont prises les mathématiques dans la sélection sociale, en lieu et place du latin. Or, cette vieille opposition entre sciences et lettres se trouve redoublée par l'opposition masculin/féminin, en associant étroitement dans l'inconscient collectif qualités littéraires et qualités féminines, esprit mathématique et esprit masculin[1]. La

1. Cf. sur ce point P. Bourdieu, J.-C. Passeron, *La reproduction*, Paris, Éditions de Minuit, 1970.

question qui se pose est de savoir pourquoi les filles s'orientent – ou sont orientées – vers les sections littéraires, orientation qu'elles payent dès l'entrée de l'enseignement supérieur puisqu'une bonne partie des portes se referment devant elles. Leurs performances en mathématiques sont-elles inférieures à celles des garçons ?

À partir d'une enquête nationale d'évaluation des performances en français et en mathématiques des élèves du cours élémentaire 2e année (CE2), de sixième et de troisième, menée par le ministère de l'Éducation nationale, on peut remarquer que les performances des filles en mathématiques rivalisent avec celles des garçons. Ce n'est que plus tard dans le cursus scolaire que l'on peut déceler quelques différences, le plus souvent de faible ampleur. Ces différences de sexe, du reste, résultent parfois d'un effet de sélection, c'est-à-dire qu'elles sont mesurées sur des populations qui, en toute rigueur, ne devraient pas être comparées car n'ayant pas suivi les mêmes parcours scolaires, et donc les mêmes contenus d'enseignements.

Malgré cette faible différence de performances entre sexes, les filles s'orientent moins souvent que les garçons vers les filières scientifiques. Pour interpréter ce fait, de nombreuses hypothèses sont avancées, ce qui montre l'absence de certitudes établies en la matière. Les recherches se sont orientées dans deux directions. La première s'est attachée à relever les différences d'aptitudes entre garçons et filles, en mettant notamment en relief les moindres capacités de ces dernières à se positionner dans l'espace géométrique. La seconde s'est employée à souligner les différences de comportements de socialisation de sexe en insistant soit sur l'intériorisation par les garçons et les filles de leurs rôles sociaux respectifs, soit sur le rôle stratégique de l'éducation familiale dans l'encadrement scolaire des enfants.

On peut considérer avec C. Baudelot et R. Establet que « les principes explicatifs déterminants semblent aujourd'hui relever davantage de l'explication socioculturelle que de la psychologie des aptitudes. (...) Entrer dans une filière scientifique, ce n'est pas entrer dans un univers particulier de la connaissance, c'est d'abord se lancer au cœur de la compétition scolaire »[1]. Or les garçons sont mieux préparés, depuis leur plus tendre enfance, à l'univers de la compétition que ne le sont les filles, ne serait-ce que par leurs pratiques sportives, ou par les jeux, en général plus agressifs, par lesquels ils s'affirment. Cette affirmation de soi, qui est refoulée à l'école, dessert les garçons dans les premières années de la scolarité et profite aux filles, plus à même d'intérioriser les règles. Il n'en va pas de même lorsque vient l'heure des choix d'orientation, car une fille ne s'orientera en section scientifique que si son niveau réel en mathématiques est bon, voire très bon. Un garçon n'aura pas ces mêmes scrupules, même un niveau médiocre ou faible ne l'empêchera pas de postuler en section scientifique. Différentes enquêtes montrent que les filles attribuent leur manque de réussite en mathématiques au manque d'aptitude, alors que les garçons estiment quant à eux qu'il s'agit d'un manque de travail. Au bout du compte, les filles accumulent les performances scolaires dans les étapes initiales du cursus scolaire, mais au moment des orientations décisives, elles doutent de leurs capacités, laissant les garçons reprendre le dessus..., en partie au culot.

On peut également penser que ce qui se joue à travers l'éducation donnée aux garçons et aux filles, ce sont en définitive deux rapports à l'avenir bien différenciés. Quelle que soit la classe sociale de référence, des dispositions spécifiques seraient inculquées aux filles et aux garçons. Le déficit d'orientation des filles en sections scientifiques s'expliquerait ainsi par le fait que les parents n'auraient pas le même niveau d'exigence quant à l'avenir professionnel de leurs filles, et de ce fait relativiseraient pour elles l'importance des mathématiques, comme garant de leur future réussite sociale.

1. C. Baudelot, R. Establet, *op. cit.*

Chapitre III

UN MODÈLE FÉMININ
D'ENTRÉE DANS LA VIE ADULTE

Nul ne peut plus raisonnablement envisager une carrière professionnelle sans disposer d'un minimum d'atouts scolaires. L'École est devenue une étape préparatoire décisive à l'insertion professionnelle, le passage obligé vers l'emploi. Les différences importantes de scolarité entre garçons et filles, notamment en matière d'orientation, ont des effets qui débordent le cadre du système éducatif, en prédéfinissant leurs futurs rôles professionnels. Leur prise en compte permet de mieux comprendre les différences d'entrée dans la vie active, selon le sexe. Plus largement, c'est l'ensemble des comportements d'insertion sociale, tels que le départ du domicile des parents et l'entrée dans la vie conjugale, qui sont révélateurs des différences de sexes, au point que l'on puisse établir l'existence d'un modèle spécifiquement féminin d'entrée dans la vie adulte.

I. – L'entrée dans la vie active :
une dévalorisation scolaire et sociale au féminin ?

Les jeunes éprouvent des difficultés pour entrer dans l'emploi. Ce constat n'est certes pas nouveau, puisqu'il date de la deuxième moitié des années soixante-dix. Toutefois, la détérioration des conditions d'insertion professionnelle n'a cessé de s'accentuer au cours de ce dernier quart de siècle. Un certain nombre d'indicateurs attestent de l'étendue de ces difficultés qui frappent particulièrement les femmes.

L'entrée dans l'emploi est tout d'abord plus incer-

taine. Les jeunes en âge de travailler sont en effet la catégorie la plus touchée par le chômage : en l'an 2000, les
moins de 25 ans ne représentent pas moins de 35 % de
l'ensemble des chômeurs[1]. Pour autant, la population juvénile n'est pas toute concernée au même degré par ces
difficultés. Les jeunes femmes sont généralement surex-
posées aux difficultés d'accès à l'emploi. Cela se traduit
concrètement par un taux de chômage plus élevé. Cette
ségrégation sexuelle, visible à tous les niveaux de diplômes, est encore plus manifeste aux niveaux de formation
les plus bas. Toujours en l'an 2000, 42 % des jeunes femmes âgées de 15 à 24 ans sorties de l'école sans diplôme
commencent leur « carrière » professionnelle à l'ANPE,
contre 31,6 % des hommes. L'absence de diplôme accentue les différences entre chômage masculin et chômage féminin. Pour une fille, plus encore que pour un
garçon, entrer dans la vie active sans aucun diplôme re-
lève donc de la gageure et constitue sans aucun doute un
cumul de handicaps difficilement surmontable dans un
contexte de crise économique durable.

L'apparition et le développement des formes précaires
d'emplois[2] sont également la marque des changements in-

Tableau 6. — **Taux de chômage des jeunes
de 15 à 24 ans selon le sexe et le diplôme (en %)**

	Pas de diplôme	BEPC	CAP/BEP	Bac	Bac + 2	Bac + 3 et plus
Hommes	31,6	18,3	15,3	12,4	8,6	11,2
Femmes	42,0	28,0	26,8	18,2	11,1	11,4

Source : INSEE, *Enquête Emploi*, 2000.

1. Source : INSEE, *Enquête Emploi,* mars 2000.
2. Ces formes précaires d'emplois correspondent principalement aux
stages et aux « emplois aidés », c'est-à-dire à des contrats de travail à
durée déterminée, à rémunération plafonnée inférieure au SMIC, et à
temps de travail partiel : citons pour exemples les « contrats emploi
solidarité », « SIVP », « contrats de qualification », « contrats d'adap-
tation », etc.

tervenus ces dernières années aux débuts de la vie active. Ce que l'on appelle la période de transition, c'est-à-dire la durée comprise entre la sortie du système scolaire et la stabilisation dans un emploi, se caractérise de plus en plus par la multiplication de situations floues, mêlant emploi, chômage et formation, parfois de façon concomitante. À ce titre, l'extension du travail à temps partiel, principalement endossée par les femmes, reflète assez bien les nouvelles conditions d'insertion faites de précarité et d'incertitudes. Devant la baisse continue des offres d'emploi à temps plein, le temps partiel devient un passage quasi obligé pour s'inscrire sur le marché du travail, et apparaît comme une issue au chômage[1]. Ce phénomène avait pris beaucoup d'ampleur au cours des années quatre-vingt et s'est encore accru au cours de la dernière décennie : en 1990, 2,65 millions d'actifs travaillaient à temps partiel, en 1997, ce sont 3,73 millions d'actifs qui sont dans ce cas[2]. Les jeunes femmes en début de vie active sont, de toutes les catégories d'actifs, celles pour qui, faute de mieux, le travail à horaire réduit s'est le plus développé. Au cours de la décennie 1982-1992, il a pratiquement doublé pour les jeunes femmes sans enfant.

Enfin, l'entrée dans la vie active est plus tardive, sans que l'on puisse pour autant établir un lien mécanique entre ce report et l'allongement de la scolarité. C'est plus profondément le passage direct de l'école à l'emploi qui a été, ces dernières années, remis en question. Les enquêtes du CEREQ (Centre d'études et de recherches sur les qualifications) montrent que la part des jeunes recrutés au plus tard neuf mois après leur sortie de l'école est en sensible diminution.

1. Pour une analyse développée de cette tendance, on peut se reporter à P. Bouffartigue, F. de Coninck, J.-R. Pendariès, « Le nouvel âge de l'emploi à temps partiel. Un rôle nouveau lors des débuts de vie active des femmes », *Sociologie du travail*, n° 4/92.
2. Source : CSERC *in* B. Galtier (1999), « Le temps partiel est-il une passerelle vers le temps plein ? », *Économie et statistiques*, n° 321-322.

Les jeunes ont donc de plus grandes difficultés que par le passé à intégrer le marché du travail, alors même que leur niveau de formation n'a jamais été aussi élevé. Un tel constat, qui s'applique tout particulièrement aux jeunes filles, ne saurait faire oublier la caractéristique majeure du marché de l'emploi de ces dernières années : à savoir la présence de plus en plus massive et durable des femmes sur le marché du travail. Cette présence accrue est la conséquence indéniable des nombreux points marqués par les femmes à l'école. Toutefois, leur investissement éducatif est loin d'avoir produit tous les effets escomptés sur le marché du travail. D'une part, l'orientation scolaire des filles diverge sensiblement de celle des garçons (chap. II), ce qui n'est pas sans conséquence sur leur futur emploi. D'autre part, à diplôme égal, elles continuent de subir une discrimination liée à leur sexe.

1. **À diplôme égal, rendement inégal sur le marché de l'emploi.** Un grand nombre d'enquêtes ont mis l'accent sur les logiques d'échec scolaire qui éliminaient les enfants des couches populaires. Moins fréquentes sont celles qui ont souligné les différences de parcours scolaires entre garçons et filles. Ces orientations différentes offrent généralement aux filles des débouchés professionnels plus restreints et moins valorisés. C'est ainsi que les diplômes universitaires se monnayent, avec plus ou moins de succès, sur le marché de l'emploi, selon le sexe de leurs titulaires[1]. Les difficultés d'insertion professionnelle des jeunes femmes à la fin de leurs études se vérifient en fait à tous les niveaux de formation. Les enquêtes du CEREQ attestent qu'elles sont à la fois moins présentes dans les emplois stables, et plus nombreuses à connaître le chômage, dès la sortie du système scolaire.

Sur le marché du travail, la discrimination sexuelle a la vie dure : la valeur sociale des titres scolaires est fonction du sexe de leurs titulaires. On touche là un phéno-

---

1. Cf. A. Frickey, *op. cit.*

Tableau 7. — **Insertion professionnelle des jeunes sortis du système scolaire avec un diplôme de l'enseignement supérieur (en %)**

	1er emploi à durée déterminée	Emploi mars 1999 à durée déterminée	+ de 6 mois de chômage sur 33	Taux de chômage mars 1999	Cadres en mars 1999	Salaire médian en 1999	Nombre de sortants
Grande école							
Hommes	16	5	13	2	85	12 500	20 647
Femmes	29	9	32	4	64	11 500	8 125
Total	19	6	18	3	79	12 000	28 772
Doctorat							
Hommes	39	18	18	5	93	13 000	4 532
Femmes	51	29	28	8	93	12 000	3 541
Total	44	22	22	7	93	12 300	8 073
DEA/DESS							
Hommes	32	16	19	6	71	11 000	21 971
Femmes	45	21	31	10	67	10 000	17 667
Total	38	18	24	8	69	10 500	39 638
Licence/Maîtrise							
Hommes	41	28	27	11	43	9 000	31 922
Femmes	41	30	31	11	38	8 300	40 220
Total	41	29	29	11	41	8 700	72 142
DUT/BTS							
Hommes	46	27	25	9	8	7 500	36 949
Femmes	48	31	34	13	6	6 500	33 726
Total	47	29	29	11	7	7 000	70 675
Total							
Hommes	35	20	22	7	47	10 000	125 663
Femmes	42	27	32	11	36	8 000	110 997
Total	39	23	27	9	42	9 000	236 660

Source : CEREQ, Observatoire des entrées dans la vie active. *Enquête sup.*, 1999.

mène bien mis en évidence – en termes de classes sociales – par les sociologues de l'éducation. Ces derniers ont montré que la généralisation de la scolarité, c'est-à-dire sa diffusion auprès des enfants d'ouvriers, de petits commerçants ou d'artisans, qui ne faisaient à l'école qu'un court passage avant l'entrée précoce sur le marché du travail, s'est traduite par une « inflation des diplômes »[1]. En d'autres termes, la démocratisation apparente de l'école a entraîné une multiplication des diplômes et donc, dans une certaine mesure, leur « dévaluation » sur le marché du travail. Pour un diplôme donné, les postes proposés actuellement sont généralement d'un niveau inférieur à celui auquel ce même diplôme donnait accès dans le passé. Pour illustrer ce propos, comparons deux époques bien différentes : 1972, année antérieure à la crise économique, et 1985, période à fort taux de chômage. En 1972, le baccalauréat et le DEUG conduisaient principalement leurs titulaires à devenir cadres moyens. La licence (ou plus) permettait d'accéder directement au rang de cadres supérieurs, dans 71 % des cas. Désormais, depuis 1985, le baccalauréat ne mène plus principalement qu'au statut d'employé ou d'ouvrier (dans 80 % des cas). L'obtention d'un diplôme supérieur ou égal à la licence démarque toujours, mais dans des proportions moins nettes qu'auparavant : en 1999, il faut être titulaire d'un diplôme de troisième cycle pour accéder majoritairement au rang de cadre supérieur, la licence ou la maîtrise conduisant plutôt vers des emplois de professions intermédiaires.

Un déclassement social existe donc bel et bien, qui n'épargne aucun niveau de diplôme. Mais, dans l'ensemble, il est plus limité pour les titulaires de diplômes supérieurs. De fait, depuis 1972, ces derniers sont de plus en plus majoritaires parmi les jeunes accédant au rang de cadres supérieurs. D'où la contradiction sui-

1. J.-C. Passeron, « L'inflation des diplômes », *Revue française de sociologie*, n° XXIII, 1982.

vante : d'un côté, les diplômes se déprécient, conduisant à des positions sociales moins élevées que par le passé, mais de l'autre, ces mêmes diplômes deviennent chaque jour plus indispensables pour l'accession aux statuts élevés. La dépendance entre titres scolaires et postes occupés se renforce, au détriment des non-diplômés, en qui on peut voir, avec P. Bourdieu[1], les principales victimes de la dévaluation des titres scolaires. Le renforcement de la relation diplôme/profession exclut les non-diplômés d'une accession éventuelle, même « par la petite porte », aux statuts sociaux les plus avantageux.

Dans tous les cas, à diplôme égal, ce déclassement affecte plus les femmes que les hommes : elles sont toujours moins nombreuses à obtenir une position de cadre. La dévalorisation des diplômes de l'enseignement supérieur est par conséquent principalement endossée par les femmes. Les hommes préservent, quant à eux, l'essentiel de leurs acquis. Le marché du travail opère ainsi ouvertement une discrimination de plus en plus marquée au cours de ces dernières années, au moment même où ces dernières sont parvenues à combler l'essentiel de leur retard face à la scolarisation.

Tout ce qui précède montre que les femmes subissent très fortement la crise économique, et que leur certification scolaire est moins efficace qu'elle ne l'est pour les garçons. Malgré tout, il est clair que la meilleure protection contre le chômage et la précarité consiste à intégrer une formation de haut niveau. Les filles ont donc plus que jamais « intérêt » à suivre une stratégie de certification par l'école et à recevoir la meilleure formation possible. C'est cette stratégie-là qui permet aux filles (encore relativement peu nombreuses dans ce cas) de connaître des conditions d'insertion professionnelle plus proches de celles des garçons.

---

1. P. Bourdieu, « Classement, déclassement, reclassement », *Actes de la Recherche en sciences sociales*, novembre 1978.

Tableau 8. — **Groupe socioprofessionnel du fils
ou de la fille en fonction de celui du père (en %)**

	Groupe socio-professionnel du père						
	Agr. Expl.	Art. Com.	Cadre	Prof. intermé- diaire	Em- ployé	Ou- vrier	En- sembl‹
Enquêté âgé de 25 à 39 ans							
Agric. Exploitant							
Fils	29,9	1,3	0,3	–	0,8	0,4	3,2
Fille	9,7	0,5	0,3	0,5	0,4	0,7	1,4
Art. Com. Chef Entrepr.							
Fils	4,0	17,1	3,1	4,1	5,7	4,3	5,9
Fille	2,5	6,8	3,3	2,4	2,9	2,7	3,2
Cadre							
Fils	5,4	12,7	41,3	21,1	10,3	5,0	12,5
Fille	2,5	8,6	27,5	12,4	6,8	2,1	7,4
Prof. interm.							
Fils	13,3	24,5	32,6	37,4	25,9	18,9	23,7
Fille	25,3	28,3	35,5	31,5	23,4	15,6	22,9
Employé							
Fils	5,2	11,7	11,9	14,1	22,9	11,0	12,4
Fille	47,0	48,6	29,9	48,1	53,8	55,5	50,5
Ouvrier							
Fils	42,2	32,7	10,8	23,3	34,4	60,4	42,3
Fille	13,0	7,2	3,5	5,1	12,7	23,4	14,6
Ensemble							
Fils	100,0	100,0	100,0	100,0	100,0	100,0	100,0
Fille	100,0	100,0	100,0	100,0	100,0	100,0	100,0

Source : INSEE, *Enquête FQP*, 1993. Le tableau se lit ainsi : su‹
100 filles d'agriculteurs, 47 deviennent employées.

2. Éducation familiale et avenir professionnel des jeunes filles.

– L'avenir professionnel des jeunes est largement déterminé par la formation scolaire reçue. Il l'est également par le milieu familial d'origine. Différentes enquêtes ont en effet montré que l'origine sociale interférait dans la relation entre diplôme et premier emploi. Cette influence du milieu familial d'origine sur l'insertion professionnelle des enfants ne s'exerce pas de la même façon sur les garçons et sur les filles. C'est ainsi que la position professionnelle des fils est fortement dépendante de celle des pères. Les filles, quant à elles, occupent des positions très concentrées dans certains emplois et dans certaines branches, et ce indépendamment du statut professionnel occupé par les pères. Le statut d'employé leur est généralement dévolu, et constitue leur avenir professionnel le plus probable.

Tout se passe comme si les filles échappaient à l'influence de l'origine sociale pour constituer une catégorie à part, dont le destin probable serait de devenir employée. Seules les filles de cadres font exception : bien que se retrouvant généralement à un rang professionnel inférieur à celui de leur père, elles évitent, plus que toutes autres, la destinée d'employée et résistent ainsi plus efficacement à la relégation sociale.

L'influence du milieu familial d'origine sur l'insertion professionnelle des jeunes femmes ne se mesure pas seulement par la position sociale du père. Elle s'évalue également par la prise en compte de l'éducation reçue au sein de la famille. Un ensemble d'études ont souligné que ce qui se joue à travers l'éducation spécifique donnée aux enfants, selon qu'ils sont filles ou garçons, ce sont deux rapports à l'avenir bien différenciés qui renvoient à des places et des fonctions particulières pour les hommes et les femmes. Ainsi, « quelle que soit la classe de référence, des dispositions spécifiques seraient inculquées aux filles et aux garçons », les premières étant « plutôt préposées à assurer l'avenir démographique de la famille, ceci par le mariage plus que par une activité économique »[1].

Ces interprétations, quoique tranchées, ont l'intérêt de souligner implicitement le caractère sexué des relations de filiation, et plus précisément des actions éducatives des parents. On peut ainsi à titre d'hypothèse expliquer la genèse des différences de sexes en matière de carrière professionnelle par la force des liens entre mères et filles, d'un côté, et pères et fils de l'autre. Cette proximité entre parents et enfants de même sexe contribuerait ainsi à préparer ces derniers à leurs futurs rôles sociaux, d'épouse et de mère pour les filles, de travailleur pour les garçons. Cette division des tâches perpétuée par la famille d'origine est d'autant plus visible « dans les milieux les plus défavorisés où, dès le moindre signe de difficultés scolaires, il y a chez les filles abandon complet de toute visée professionnelle, et repli avec résignation sur un projet d'avenir dominé par la famille »[2] et la vie domestique.

En conclusion, ceci laisse à penser que « ce n'est pas en termes de niveau d'ambition qu'il faudrait interpréter les différences observées dans les choix professionnels » entre filles et garçons, « mais plutôt par référence aux stéréotypes des rôles professionnels (et des rôles tout court) masculins ou féminins »[3]. Ces stéréotypes sont largement transmis, sous la forme de l'éducation, par la famille d'origine. C'est ainsi qu'à niveau de diplôme équivalent, les filles choisissent plutôt des filières paramédicales et sociales (infirmières, gardiennes d'enfants, etc.), qui toutes incorporent dans leurs qualifications des qualités et savoir-faire censés appartenir en propre au sexe féminin.

1. M. Chaudron, « Sur les trajectoires sociales des femmes et des hommes : stratégies familiales de reproduction et trajectoires individuelles », in *Le Sexe du travail. Structures familiales et système productif,* PUG, 1984, p. 25.
2. M. Duru-Bellat, *op. cit.,* p. 190.
3. M. Duru-Bellat, *op. cit.,* p. 88-89.

II. – Départ du foyer parental
et entrée dans la vie conjugale

Le départ du foyer parental constitue un moment important de l'entrée dans la vie adulte dans la mesure où il correspond le plus souvent aux premiers pas des jeunes vers une vie autonome. Cette entrée dans la vie adulte est généralement plus tardive de nos jours, en raison, nous l'avons vu, de l'allongement de la scolarité et des difficultés accrues d'insertion professionnelle rencontrées par les jeunes. En conséquence, depuis ces dernières années, les jeunes restent plus longtemps chez leurs parents[1]. Maintien prolongé des jeunes chez leurs parents et développement du célibat constituent en effet aujourd'hui les changements majeurs qui affectent ce processus d'insertion sociale. Toutefois, cette étape de l'existence prend pour les jeunes filles une signification et des contours très différents des garçons, de telle sorte que l'on puisse affirmer l'existence d'un modèle spécifiquement féminin d'entrée dans la vie adulte.

Tableau 9. — **Maintien chez les parents
des 20-24 ans, de 1979 à 2000 (en %)**

	1979	1982	1986	1989	1991	2000
Vivant chez leurs parents :						
Garçons	52,2	52,6	57,3	61,5	59,6	66,5
Filles	37,5	37,9	43,5	46,4	47,2	51,3

Source : INSEE, *Enquêtes Emploi.*

1. T. Blöss, F. Godard, « La décohabitation des jeunes », *Les Cahiers de l'INED,* Paris, PUF, n° 120, 1988, coll. « Travaux et Documents ».

1. **Des comportements sexués : quitter ses parents ou prolonger son séjour.** – La prolongation du séjour au domicile des parents peut être éclairé à la lumière de deux éléments d'interprétations.

A) *De nouveaux liens entre générations ?* – Sondage après sondage, s'affirme l'idée que la famille est une valeur positive chez les jeunes et qu'ils s'y trouvent bien. De là à en déduire que le maintien prolongé chez les parents est la simple résultante des bonnes relations à l'intérieur de la famille, il n'y a qu'un pas que les discours ambiants n'hésitent pas à franchir. Le maintien prolongé au domicile familial correspondrait alors à un renouveau des valeurs familiales et à un resserrement des liens entre générations. Pourtant, si l'on s'en tient également aux sondages, on ne manquera pas de constater que s'ils en avaient le choix, une très grande majorité des jeunes de moins de 20 ans choisirait une autre formule que la vie chez les parents. On doit par conséquent se garder de toute lecture hâtive des comportements juvéniles, car les systèmes d'explication les plus évidents ou les plus commodes deviennent rapidement insuffisants ou inadaptés à la réalité mouvante de la situation des jeunes.

B) *Chômage des jeunes et différences de sexe.* – Le maintien prolongé sous le toit familial peut aussi être interprété comme une conduite de crise, c'est-à-dire comme la conséquence des difficultés d'insertion professionnelle rencontrées par un nombre croissant de jeunes. Dans quelle mesure la forte augmentation du chômage juvénile entraîne-t-elle une prolongation du séjour chez les parents ? De façon continue, les données des recensements de population ont montré que les jeunes chômeurs (entre 20 et 24 ans) des deux sexes et de toutes origines sociales résident plus souvent dans leur famille que les jeunes actifs ayant un emploi, cette tendance se confirmant au cours des recensements de population successifs.

Un clivage oppose les jeunes actifs ayant un emploi, plus rapidement indépendants sur le plan résidentiel aux jeunes chômeurs plus captifs de leur famille. Toutefois, le flou croissant des situations d'insertion nuance quelque peu ce clivage. On reste de plus en plus chez soi, même en étant actif, étant donné le caractère de plus en plus précaire et instable de l'emploi occupé. Les statuts professionnels précaires proposés aux jeunes à mi-chemin entre l'inactivité et un véritable emploi ne suffisent pas à leur garantir une autonomie matérielle suffisante pour qu'ils quittent leurs parents.

Le chômage joue donc un rôle suspensif sur le départ des jeunes. Mais, point important, ce constat vaut essentiellement pour les garçons[1] : plus de 8 jeunes chômeurs sur 10 résident chez leurs parents, contre moins de 6 jeunes chômeuses sur 10. Le chômage est donc vécu différemment par les jeunes selon leur sexe. Les jeunes chômeuses « décohabitent » plus tôt et ont plus souvent recours au mariage. Les jeunes chômeurs prolongent leur séjour au foyer parental, en célibataires. Ainsi, au début des années 1980, 28 % des premières vivent en couple[2], contre seulement 8 % des seconds. Pour les filles, le chômage accentue la précocité au mariage, à la différence des garçons pour qui l'entrée dans la vie conjugale passe par l'accès à un emploi stable[3].

C) *Des jeunes femmes plus précoces.* – L'appartenance de sexe joue par conséquent un rôle essentiel dans les conditions de départ du foyer parental. Toutes choses égales par ailleurs, c'est-à-dire à origine sociale et à niveau de diplôme identiques, les comportements d'inser-

1. Source : O. Galland, « Formes et transformations de l'entrée dans la vie adulte », *Sociologie du travail*, XXVII, 1/1985, p. 32-52.
2. N. Coeffic, « Chômage et famille », *Données sociales*, Éd. 1984, INSEE.
3. Source : T. Blöss, A. Frickey, F. Godard, « Quitter ses parents. Itinéraires de deux générations de femmes », *Revue française de sociologie*, XXXI, 1990.

tion des filles sont bien spécifiques. Les filles quittent systématiquement plus tôt le domicile des parents que les garçons[1] : à 24 ans, on constate qu'elles sont très nettement moins nombreuses à vivre chez leurs parents que les jeunes hommes (respectivement 28,7 % et 50,2 %)[2]. Leur plus grande précocité au mariage – ou à la mise en couple – conduit à dire que c'est globalement l'entrée dans la vie adulte qui ne s'effectue pas aux mêmes âges que pour les garçons.

Comment interpréter ce départ plus précoce des jeunes filles du domicile familial ? On peut penser, avec O. Galland[3], que si elles prennent plus tôt leur envol, c'est en partie parce qu'elles se soucient – ou se souciaient[4] – moins que les garçons d'assurer leur position professionnelle avant de songer à former un couple stable. On peut également penser, avec F. Battagliola[5], que cette plus grande précocité traduit le désir croissant d'autonomie des jeunes femmes qui, toujours plus « surveillées » et plus sollicitées pour les tâches domestiques que les garçons, préfèrent s'affranchir plus rapidement de leur famille, que ce soit pour se mettre en ménage ou pour vivre seule.

2. **Tradition et modernité féminines : le célibat contre le mariage ?** – Le plus souvent, les jeunes filles quittent leurs parents pour se marier. Traditionnellement, la filière matrimoniale représente, pour elles, la voie directe d'entrée dans la vie adulte. Plus on descend dans l'échelle sociale et plus ce motif est prépondérant, tout particulièrement pour les jeunes femmes sans emploi et issues des

1. T. Blöss, F. Godard, *op. cit.,* p. 32.
2. Source : *Enquête Emploi* de 2000 de l'INSEE.
3. O. Galland, *Sociologie de la jeunesse. L'entrée dans la vie*, Paris, Armand Colin, 1991, coll. « U », p. 124.
4. Les comportements des jeunes filles ont en effet évolué, et l'on doit, aujourd'hui plus que par le passé, prendre en compte le fort investissement consenti par les nouvelles générations de jeunes filles pour se former et réussir leur insertion professionnelle.
5. F. Battagliola, *La fin du mariage ?*, Paris, Syros, 1988.

classes populaires. Les hommes ont, pour leur part, généralement connu avant le mariage une vie de garçon, à
distance parfois symbolique des parents. Le terme même
de « garçonnière » (désignant un petit appartement occupé par une personne seule), bien que tombé en désué-
tude dans le langage courant, rappelle l'existence de comportements d'émancipation masculine antérieurs au
mariage.

L'institution du mariage connaît cependant, depuis
plus de deux décennies, une régression sensible[1]. Le mariage précoce est remis en cause, et on assiste à un recul
de l'âge moyen au premier mariage : il est en 1991 de
28 ans chez les hommes et de 26 ans chez les femmes, soit
l'âge le plus élevé jamais constaté depuis la fin de la
Deuxième Guerre mondiale. L'effritement du mariage est
plus important chez les jeunes femmes que chez les jeunes
hommes : en 1975, les proportions de mariés parmi la
population des ménages de 20-24 ans étaient de 25,9 %
pour les garçons et de 45,7 % pour les filles. En l'an 2000,
elles sont respectivement de 3,3 % et 13,3 %. L'écart
entre garçons et filles s'est donc quasiment réduit de moitié[2].

Le mariage précoce se faisant plus rare, on pourrait
penser que les jeunes choisissent une voie *a priori* plus
souple ou flexible de vie en couple, telle que le concubinage, autrement intitulé « cohabitation hors mariage ».
Et il est vrai que cette nouvelle forme de vie maritale
connaît un vif essor, particulièrement depuis la seconde
moitié des années soixante-dix. L'expansion de ce nouveau mode de vie conjugale a fait l'objet de multiples interprétations souvent contradictoires. Démographes et
sociologues s'interrogent en effet sur sa signification et
ses conséquences. Il a en effet été perçu, dans un premier

1. En 1992, le taux de nuptialité est au plus bas depuis 40 ans :
4,7 mariages pour 1 000 habitants (source : INSEE).
2. Très précisément : les taux de primo-nuptialité, c'est-à-dire relatifs aux hommes et aux femmes célibataires avant le mariage, et non
pas divorcés, ni veufs.

Fig. 4. — Évolution du mariage chez les 20-24 ans :
1975-2000 (en %).

Source : INSEE, *Enquêtes Emploi*.

temps, comme une cohabitation prénuptiale, c'est-à-dire comme une sorte de « mariage à l'essai » que le couple officialiserait ou régulariserait ultérieurement. Puis, devant la baisse continue de la nuptialité et l'augmentation des naissances hors mariage, il a plus récemment été compris comme un « nouveau modèle matrimonial »[1] alternatif au mariage, comme un véritable comportement conjugal et familial durable. Les naissances d'enfants hors mariage, évaluées à une sur dix au début des années quatre-vingt, ont en effet triplé au cours de la décennie suivante pour concerner, au début des années quatre-vingt-dix, près d'un enfant sur trois (28,2 %) ; ce qui place la France au troisième rang parmi les pays occidentaux, juste derrière la Suède et le Danemark.

La cohabitation hors mariage, comme mode d'entrée dans la vie conjugale, ne peut être l'expression d'une atti-

1. Cf. J.-P. Sardon, « Un nouveau modèle matrimonial », *Les Cahiers français*, n° 219, janvier-février 1985, p. 36-40.

tude univoque à l'égard du mariage. Il semble qu'en fait, comme le montre C. Villeneuve-Gokalp[1], les cohabitations hors mariage soient trop hétérogènes pour n'être que l'expression d'une nouvelle conception du couple, opposée au mariage et commune à tous ceux qui l'adoptent. Quelle que soit la période observée, certaines cohabitations se sont rapidement conclues par un mariage, et d'autres l'ont exclu d'une manière durable. L'attitude récente des femmes sur ce plan traduit un changement de mentalité. Dans un premier temps, elles étaient plus nombreuses que les hommes à vivre en concubinage dans la mesure où celui-ci était, dans leur esprit, une union prénuptiale, assortie d'une « promesse » de mariage (jusqu'en 1976, près d'une femme sur trois était dans ce cas, contre moins d'un homme sur quatre). Les comportements des femmes sont devenus semblables à ceux des hommes[2] à partir du moment où ces « unions sans papiers » sont devenues des unions à part entière, *per se,* sans autre finalité qu'elles-mêmes.

« La crise du mariage » est-elle compensée par l'invention de nouvelles formes d'unions conjugales, ou bien préfigure-t-elle une « crise du couple »[3] ? Globalement, il est vrai que la proportion de jeunes vivant en couple, mariés ou non, diminue. Le développement des unions conjugales hors mariage ne suffit donc pas à enrayer la chute des unions maritales traditionnelles ou officielles. C'est plus profondément la vie en couple, sous toutes ses formes, qui perd nettement de son audience, parmi les nouvelles générations. Cette baisse affecte les deux sexes, elle est toutefois plus nettement marquée chez les jeunes femmes (tableau 10).

1. C. Villeneuve-Gokalp, « Du mariage aux unions sans papiers : histoire récente des transformations conjugales », *Population*, 2, 1990, p. 268.
2. Cf. C. Villeneuve-Gokalp, *op. cit.,* p. 271-272.
3. Cf. P.-A. Audirac, « Crise du mariage ou crise du couple », *Dialogue*, n° 92, 1986.

Tableau 10. — **Baisse de la vie en couple, marié ou non, chez les jeunes, selon le sexe (en %)**

Âge	Femmes			Hommes		
	1982	1991	2000	1982	1991	2000
21 ans	31,3	21,1	13,9	7,5	5,0	4,2
22	43,8	33,2	22,9	19,1	13,4	8,8
23	51,4	42,4	33,0	29,9	20,7	13,9
24	61,6	53,7	47,1	42,1	30,3	21,9

Source : INSEE, *Enquêtes Emploi* 1982, 1991 et 2000.
Le tableau se lit ainsi : 31,3 % des jeunes femmes de 21 ans vivent en couple en 1982, contre 21,1 % en 1991.

La précarité croissante des situations professionnelles, la difficulté de trouver un logement et son coût, le prolongement des études sont autant de facteurs qui peuvent expliquer le report constaté dans la formation des couples. Dans ce contexte, l' « union libre » semble peser d'un faible poids face aux difficultés d'insertion sociale des jeunes. Ainsi, les jeunes femmes issues des couches moyennes – les plus nombreuses à vivre en couple non marié – sont celles qui, en cas de difficultés d'emploi, ont le plus souvent tendance à prolonger leur maintien au domicile des parents ou à y retourner. L'évolution des mœurs atteint assez vite, en pareille situation, ses limites !

En fait, il semble que l'on ait beaucoup insisté, ces dernières années, sur le développement de la « cohabitation hors mariage » et des « familles monoparentales », souvent à l'initiative des femmes[1]. Ces nouvelles structures conjugales et familiales ont quelque peu occulté le dé-

1. Les couples non mariés concernent 13 % des hommes de 21 à 24 ans et 19 % des femmes du même âge (Cf. H. Léridon, C. Villeneuve-Gokalp, « Les nouveaux couples : nombre, caractéristiques et attitudes », *Population*, n° 2, mars-avril 1989) ; de même, les divorces, quel que soit l'âge auquel ils se produisent, sont majoritairement initiés par les femmes.

veloppement du célibat qui est devenu en quelques années une forme caractéristique de départ du foyer parental. Parmi les nouvelles générations, de plus en plus nombreux sont ceux et celles qui vivent seuls durablement. C'est certainement un des faits les plus marquants de l'évolution des structures familiales, avec toutes les conséquences que cela entraîne sur la taille et le nombre des ménages. Depuis ces dernières décennies, la taille moyenne des ménages est en constante réduction : de 3,1 personnes en 1962, elle est passée à 2,4 au recensement de population de 1999. Ce qui a provoqué une augmentation du nombre des ménages[1] plus rapide que celle de la population totale.

On assiste donc à un double mouvement : d'une part, les jeunes prolongent leur résidence commune avec leurs parents, d'autre part, lorsqu'ils en partent, c'est de plus en plus en tant que célibataires. Cette augmentation du célibat n'est pas de même intensité selon le sexe.

Fig. 5. — Proportion de femmes encore célibataires
à la fin de l'année de leurs 25 ans (en %)

Source : INSEE ; C. Launay, *INSEE Première*, n° 235, décembre 1992.

1. Un ménage, selon la définition de l'INSEE, est constitué d'une ou de plusieurs personnes vivant sous un même toit. Ce sont les ménages d'une personne qui connaissent au cours de ces dernières décennies l'augmentation la plus sensible.

Entre 1982 et 1985, elle a été de 29,8 % pour les femmes, mais seulement de 6,3 % pour les hommes. Plus de 6 jeunes filles sur 10 ont coiffé Sainte-Catherine en 1991 (c'est-à-dire étaient encore célibataires lors de leur 25e anniversaire). C'est dire l'ampleur que prend actuellement le célibat féminin dans la société française.

3. L'union séparée : un nouveau statut matrimonial ?

L'attitude des jeunes à l'égard du célibat a été tantôt présentée comme un report volontaire du moment du mariage, tantôt comme un rejet pur et simple de l'institution matrimoniale[1], tantôt comme un report de la vie en couple[2] sous toutes ses formes. Dans ces interprétations, le célibat recouvre deux situations matrimoniales très différentes en désignant soit des personnes vivant seules, soit des personnes vivant en couple mais sans reconnaissance officielle.

Le statut de célibataire peut masquer l'existence de nouveaux couples qui ne vivent pas vraiment ensemble. On assiste, depuis ces dernières années, à l'émergence d'une nouvelle conception des rapports conjugaux, où chaque membre du couple préserve, au moins pour un temps, son chez-soi. De plus en plus nombreux, même si leur dénombrement reste délicat, sont en effet les jeunes qui vivent officiellement et pratiquement seuls, en toute indépendance, à distance « respectable » de leur « ami(e) ». Une « union séparée », en quelque sorte, où chacun dispose de son propre logement, et où il est difficile de savoir ce qui, de la vie solitaire ou de l'union, prédomine. Ce nouveau mode de vie conjugale, véritable célibat de façade, correspond à une fréquentation amoureuse souvent irrégulière et négociée selon les possibilités matérielles ou professionnelles de chacun, mais aussi en fonction des souhaits respectifs. Il constitue un

1. L. Roussel, *La famille incertaine*, Paris, Odile Jacob, 1989.
2. Ces trois hypothèses sont détaillées par O. Galland, *op. cit.*, p. 137-143.

changement dans les relations entre sexes, une forme de compromis, c'est-à-dire un moyen de vivre à deux sans concession véritable. Nul doute que ces nouveaux comportements soient en partie liés au désir d'émancipation sociale des jeunes femmes, à leur volonté de préserver leurs ambitions professionnelles, si longtemps hypothéquées par la division traditionnelle des rapports domestiques. Sous cette formule d'union séparée émergerait un nouveau régime contractuel non conforme aux normes de l'institution matrimoniale, mais *a priori* plus respectueux de l'autonomie de chacun.

Les comportements d'entrée dans la vie adulte ont sensiblement évolué au cours des dernières décennies. De même qu'on peut noter une prolongation de la cohabitation parentale différenciée selon le sexe, on ne manquera pas de souligner l'apparition de nouvelles formes de départ tout aussi sexuellement contrastées.

III. – **La double carrière féminine en question**

L'entrée dans la vie conjugale est traditionnellement plus chargée de conséquences pour les femmes que pour les hommes[1], probablement du fait que la mise en couple a longtemps constitué pour elles un moyen de s'affranchir de la tutelle de la famille d'origine. L'élévation du niveau d'instruction des femmes constitue une nouvelle donne. Leur diplôme n'est pas une simple « dot scolaire »[2], un simple atout dans la perspective d'un beau mariage, mais un capital directement monnayable dans le champ professionnel[3]. Un certain nombre d'études montrent toutefois la difficulté qu'éprouvent les femmes à mener de front leurs carrières professionnelle et familiale, leurs ambitions professionnelles cédant bien

1. M. Segalen, *Amours et mariages de l'ancienne France,* Paris, Berger-Levrault, 1981.
2. F. de Singly, « Mariage dot scolaire et position sociale », *Économie et statistique,* n° 142, mars 1982.
3. M. Bozon, « Le mariage en moins » , *Société française,* p. 12.

souvent le pas aux exigences familiales. « L'engagement conjugal exige de la femme un désengagement professionnel », « le domestique féminin prime sur le professionnel féminin », « le mariage est une mauvaise affaire pour les affaires professionnelles de la femme », « la femme mariée est handicapée dans sa vie de travail par sa vie de famille » sont autant de citations, empruntées à F. de Singly, qui résument assez bien le déséquilibre constaté entre vie familiale et vie professionnelle des femmes.

Le cours de l'existence féminine se dessine en fait dès l'entrée dans la vie adulte. C'est le résultat d'une enquête[1] qui souligne que les jeunes femmes quittent leurs parents soit pour prendre un conjoint, soit pour étudier ou plus directement pour travailler. On est en présence de deux voies bien distinctes d'installation dans la vie, l'une matrimoniale, l'autre individuelle. Pour autant, ces deux voies ne tarderont pas à se croiser. En effet, le départ sur le mode conjugal ne tiendra pas longtemps les femmes à l'écart du marché du travail. De la même façon, le départ en solitaire n'éloignera que peu de temps les femmes du marché matrimonial.

Malgré tout, ces deux modes d'entrée dans la vie adulte marquent durablement de leur empreinte le cours des trajectoires féminines. Quand on compare toutes choses égales par ailleurs – c'est-à-dire à statut matrimonial et origine sociale identiques – ce que deviennent ces femmes, vers l'âge de 40 ans, le constat est éloquent :

– Les jeunes femmes qui ont quitté le domicile familial pour prendre un conjoint vivent généralement des rapports domestiques traditionnels, régis par une forte division sexuelle des tâches au sein du couple. Leur conjoint est celui qui fixe, de façon déterminante, le niveau d'aspiration sociale de la famille, il est le dépositaire prin-

---

1. Référence : GERM-CERCOM, *Itinéraires féminins. Les calendriers familiaux, professionnels et résidentiels de deux générations de jeunes femmes dans les Alpes-Maritimes*, CNRS/Ministère de la Recherche et de la Technologie, 1989.

cipal et permanent des ressources. Les femmes assument, quant à elles, l'essentiel de l'éducation des enfants et des travaux ménagers. Elles ont le plus souvent une activité professionnelle discontinue, faite d'arrêts et de reprises, qui laisse à penser que leur carrière professionnelle passe au second plan, sous la double contrainte des événements familiaux et de la carrière professionnelle du conjoint. En conséquence, elles accèdent à un statut professionnel généralement peu valorisé : elles deviennent ouvrières ou employées dans plus des trois quarts des cas (tableau 11).

— En revanche, les jeunes femmes qui ont quitté le domicile familial en célibataire, pour poursuivre une formation ou prendre un emploi, ont mieux préservé leur auto-

Tableau 11. — **Emploi exercé au moment de l'enquête selon le mode d'entrée dans la vie et le profil d'activité professionnelle**

Emploi des femmes au moment de l'enquête	Quitter ses parents pour se mettre en couple			Quitter ses parents, seules, pour suivre une formation ou travailler		
	Actives continues	*Actives discontinues*	*Ens.*	*Actives continues*	*Actives discontinues*	*Ens.*
Agricultrices	1,4	0,4	0,8	–	–	–
Art./Com.	12,1	10,2	10,9	8,7	11,0	9,9
Cadres sup.	5,0	1,3	2,7	**14,5**	8,2	*11,3*
Prof. intermédiaires	18,4	11,1	13,9	**43,5**	31,5	*37,3*
Employées	56,0	**64,5**	*61,2*	29,0	39,7	34,5
Ouvrières	7,1	**12,5**	*10,4*	4,3	9,6	7,0
Total	100,0	100,0	100,0	100,0	100,0	100,0

Source : Enquête Germ-Cercom, *op. cit.*, 1989.
Champ : Femmes mariées et âgées de 40 ans au moment de l'enquête.
Le tableau se lit ainsi : 64,5 % des femmes qui ont quitté leurs parents pour se mettre en couple et qui ont eu une activité professionnelle discontinue ont le statut d'employées à l'âge de 40 ans.

nomie au sein de leurs relations conjugales. Elles exercent une activité professionnelle plus continue, qui s'apparente à une véritable carrière professionnelle, et qui leur permet d'accéder, dans la moitié des cas, à un emploi d'encadrement (tableau 11).

Toutes les enquêtes attestent de l'engagement croissant des femmes dans l'activité professionnelle comme moyen d'émancipation individuelle et de reconnaissance sociale, mais toutes attestent aussi que cette évolution ne va pas sans leur poser de problèmes, notamment sur le plan domestique. L'étude des conditions d'entrée dans la vie adulte souligne également leur extrême difficulté de mener, à même hauteur d'ambition, une double « carrière », familiale et professionnelle.

Chapitre IV

DESTINS DE FEMMES :
ENTRE TRAVAIL ET VIE DE FAMILLE

Dans la vision commune du monde, la famille apparaît comme le pôle principal d'activité des femmes, pour ne pas dire leur lieu d'affectation obligé ou naturel. Cette vision a sa part de vérité, puisque les femmes ont effectivement joué un rôle prépondérant dans la « naissance de la famille moderne » à travers la valorisation croissante de leurs fonctions affectives et éducatives (chap. I). Elle masque cependant une composante essentielle de leur identité sociale, à savoir leur activité professionnelle : en 1999, au recensement de population, près des trois quarts des femmes (âgées de 20 à 59 ans) sont actives.

Il s'agit ici de souligner les rapports des femmes au travail, leur position au sein de la famille, et l'articulation entre ces deux sphères. On peut en effet considérer que « le travail et la famille sont les deux pôles inséparables de l'existence individuelle et sociale »[1], tant il est vrai que vivre sans travail ou sans famille ne constitue qu'un mode de vie statistiquement minoritaire, et ce malgré l'action concomitante des tendances économiques et socioculturelles qui, chaque jour davantage, accroissent le nombre des personnes sans travail et sans conjoint.

Les préjugés ont la vie dure. C'est particulièrement le cas de l'opinion selon laquelle les femmes n'auraient réellement pris part au travail professionnel que depuis une période récente, leur irruption sur le marché de l'emploi provoquant une série de désordres en tous genres. En

1. M.-A. Barrère-Maurisson, *La division familiale du travail*, Paris, PUF, 1992.

réalité, la participation des femmes au travail est une donnée bien ancrée dans l'histoire (chap. I). La femme au foyer est un mythe qui occulte une tradition déjà ancienne d'activité professionnelle. Pour s'en persuader, on peut faire une rapide comparaison historique, et constater sans peine que l'activité des femmes, en cette fin de XXᵉ siècle, égale à peine celle observée au début de ce même siècle. Le fait nouveau tient aux formes de travail et aux types d'emplois qu'elles exercent. L'entrée des femmes dans le salariat a sans doute permis un meilleur repérage statistique et une plus grande reconnaissance sociale de leur activité. La plus grande visibilité de leur activité professionnelle est assurément le facteur principal de leur émancipation sociale.

I. – La féminisation de l'emploi au XXᵉ siècle

L'essor de l'activité féminine a joué un rôle décisif dans les transformations de la structure de la population active tout entière. Elle a suivi des variations historiques importantes. On peut distinguer avec O. Marchand et C. Thélot[1] deux grandes périodes dans l'évolution des taux d'activité professionnelle des femmes, tout au long du XXᵉ siècle. Une première période démarre au début du siècle et s'étend jusqu'au milieu des années soixante. Elle voit l'activité des femmes diminuer de façon quasi continue, après un siècle de constante progression. Une seconde période débute au milieu des années soixante et se caractérise par une nette reprise de l'activité féminine.

1. De l'usine au bureau. – Pendant tout le XIXᵉ siècle, l'augmentation de la population active avait été sensible, les femmes contribuant très largement à cette évolution. La présence féminine sur le marché du travail atteint

1. O. Marchand, C. Thélot, *Deux siècles de travail en France*, INSEE/Études, 1991.

en 1911 un taux record qui ne sera pas égalé avant 1990 (tableau 12). Ce taux élevé d'activité féminine, en ce début du XXᵉ siècle, tient à la fois aux caractéristiques de la première révolution industrielle en France, qui fait une place importante aux métiers du textile où les femmes sont destinées par « nature » – c'est-à-dire en fait par tradition domestique –, et à la place tenue par elles dans une population agricole encore très nombreuse[1]. La révolution industrielle qui a mobilisé au siècle dernier une forte main d'œuvre de femmes, mais aussi d'enfants, constitue le point de départ de l'intégration massive des femmes dans le salariat.

Tableau 12. — **Évolution des taux d'activité professionnelle par sexe depuis deux siècles (en %)**

Date	Population active Population totale		
	Hommes	*Femmes*	*Ensemble*
1806	58,1	29,4	43,5
1831	59,4	29,7	44,3
1846	61,1	30,9	45,9
1851	61,8	31,5	46,6
1866	63,2	33,0	48,1
1881	64,7	34,4	49,5
1896	66,1	35,2	50,5
1911	66,9	36,2	51,3
1921	69,3	35,5	51,6
1931	67,4	32,8	49,5
1936	63,9	30,6	46,6
1946	64,6	32,3	47,7
1955	61,6	30,7	45,6
1962	58,4	28,2	42,9
1974	54,7	30,8	42,5
1990	50,8	36,2	43,3

Source INSEE ; O. Marchand, C. Thélot, *Deux siècles de travail en France*, INSEE/Études,1991, p. 69.

1. Rapport au ministre des Droits de la femme, *Les femmes en France dans une société d'inégalités,* Paris, La Documentation française, 1982, p. 12.

D'après les données des recensements, on observe, après la Première Guerre mondiale, une nette inflexion dans l'évolution de l'activité féminine. La part des femmes dans la population active stagne et même diminue. Deux facteurs expliquent ce retrait relatif des femmes du marché du travail. D'une part, la poursuite inexorable du déclin de l'agriculture et, consécutivement, la réduction des activités d'aide familiale ; d'autre part, la baisse de l'emploi industriel traditionnel qui occupait une main-d'œuvre très féminisée. Les fermetures en chaîne dans les industries textiles et de l'habillement mettent un terme au travail ouvrier des femmes comme forme dominante d'activité salariée.

Cette baisse quantitative de l'emploi féminin, au cours de cette première moitié de XXe siècle, masque en fait des tendances fort contradictoires. En effet, parallèlement au déclin relatif des femmes agricultrices et ouvrières, on enregistre de façon significative l'entrée des femmes dans les bureaux, dans l'administration en particulier, conséquence de l'apparition de la machine à écrire[1]. De nouveaux emplois de dactylos, secrétaires, etc. s'ouvrent aux femmes dans les entreprises et l'administration étatique, signe d'une économie qui se modernise et se bureaucratise. De même, le développement du mode de production capitaliste entraîne une distribution de masse. De grands magasins employant un grand nombre de vendeuses succèdent peu à peu aux boutiques familiales. Ces deux catégories d'emplois de bureau et de commerce forment un secteur d'activité économique tertiaire fort utilisateur d'une main-d'œuvre abondante et bon marché. Le XXe siècle est par conséquent le théâtre d'une « migration » des femmes de la production domestique et industrielle vers les emplois de services[2].

1. G. Thuillier, J. Tulard, *Histoire de l'administration française,* Paris, PUF, coll. « Que sais-je ? », 1984.
2. Cf. J.-W. Scott, L.-A. Tilly, *op. cit.*

Alors que le travail féminin diminue à l'usine, il augmente dans les bureaux, sans que l'on assiste, au moins dans un premier temps, à une amélioration du statut social et professionnel des femmes, car les « emplois modernes », pas plus que les emplois traditionnels, ne requièrent de compétences particulières de la part des femmes, et ne les placent à égalité de salaire avec les hommes.

2. L'extension du salariat féminin. – Avec le début des années soixante s'ouvre une période de salarisation massive des femmes qui investissent le marché des emplois tertiaires, notamment les services publics (santé, éducation, service social, etc.). Les hommes, quant à eux, subissent de plein fouet la baisse de l'emploi industriel (sidérurgie, charbonnages, métallurgie...) et voient leur taux d'activité décliner de façon continue (tableau 12).

Deux mutations de la structure sociale vont de pair avec la tertiarisation progressive de l'économie française.

– Première mutation : la féminisation de la population active. Depuis le début des années soixante, le taux d'activité des femmes progresse à nouveau, alors que celui des hommes plafonne, tout particulièrement depuis la crise économique aiguë du milieu des années soixante-dix. Après l'urbanisation et l'industrialisation de la société française, une nouvelle ère s'ouvre. Le bureau, l'hypermarché, l'hôpital, l'école supplantent l'usine et l'atelier comme lieux de travail caractéristiques[1]. Cette tertiarisation a une incidence sensiblement plus forte chez les femmes que chez les hommes : en 1999, plus de trois femmes sur quatre travaillent dans les services (marchands et non-marchands) contre plus d'un homme sur deux.

La féminisation de la population active (actifs ayant un emploi et chômeurs confondus) atteint désormais 46 %[2]. Progressivement donc, la population active de la France devient mixte, du moins en apparence.

1. O. Marchand, C. Thélot, *op. cit.*, p. 107.
2. Au recensement de population de 1999, la population active féminine atteint 12,1 millions, celle des hommes 14,2 millions.

– Deuxième mutation : la prédominance irrémédiable du salariat. La croissance des emplois salariés vaut pour les deux sexes, mais est beaucoup plus forte chez les femmes, au point que pour la première fois, en 1975, dans l'histoire du monde du travail, la proportion de femmes salariées parmi les femmes actives devient supérieure à celle des hommes. Et depuis le milieu des années soixante-dix, les femmes ne cessent de creuser l'écart[1].

La progression accélérée de l'activité féminine et l'extension du salariat sont par conséquent deux facteurs essentiels et, semble-t-il, irréversibles qui ont déterminé, depuis les années soixante, les transformations de la population active. Cette évolution se double d'une transformation dans l'organisation interne à la vie familiale. En effet, depuis le début des années quatre-vingt, le modèle dominant marqué par la division du travail dans les familles, où l'homme était le pourvoyeur principal des ressources, et la femme, prioritairement chargée du travail domestique, est progressivement remplacé par un modèle consacrant l'avènement d'une famille « association »[2], où les deux conjoints travaillent. La multiplication des familles « à deux apporteurs », ou « à double carrière », selon les désignations utilisées, reflète les mutations profondes que connaissent les femmes, tant sur le plan professionnel que familial. Emploi féminin et organisation familiale ont donc évolué de concert.

II. – L'activité féminine :
entre émancipation sociale et domination de sexe

L'essor de l'activité féminine correspond autant aux impératifs économiques qu'aux évolutions des mentalités, des aspirations et des revendications des femmes el-

1. En 1975, parmi les femmes actives, 84,1 % exerçaient un emploi salarié contre 81,8 % chez les hommes. Au recensement de 1999, ces proportions sont respectivement de 90,9 % et de 84,9 %.
2. A.-M. Barrère-Maurisson, *Sociologie du travail*, n° 3/1984.

les-mêmes. Raisons productives et raisons sociologiques ne tirent pas nécessairement dans le même sens. Aussi, dira-t-on que le développement de l'activité féminine peut être l'expression d'un double mouvement d'émancipation sociale des femmes, et de reproduction des rapports de domination de sexes.

1. **Les voies de l'émancipation féminine.** – L'augmentation du taux d'activité des femmes s'accompagne d'une présence de plus en plus durable sur le marché du travail. On ne peut donc se satisfaire aujourd'hui d'une opposition entre deux états : l'inactivité ou l'activité professionnelle. En effet, très peu de femmes restent à l'écart du monde du travail. Actuellement, à 30 ans, une femme sur dix seulement n'a jamais exercé d'activité, alors que parmi les générations antérieures (notamment parmi les femmes nées dans les années 1920) près d'une sur quatre était dans ce cas[1].

Trois catégories de femmes peuvent alors être distinguées :

— les « inactives totales » sont celles qui n'ont jamais exercé la moindre activité professionnelle au cours de leur vie ; elles sont minoritaires statistiquement et en nette régression depuis ces dernières années ;
— les « actives discontinues » regroupent les femmes qui ont interrompu provisoirement ou définitivement leur activité au cours de leur existence ;
— les « actives continues » désignent enfin les femmes qui poursuivent de façon ininterrompue leur travail professionnel ; elles sont chaque jour plus nombreuses malgré les contraintes du marché du travail et de la vie de famille.

Différents facteurs expliquent cette expansion de l'activité féminine. Elle bénéficie tout d'abord du mouve-

1. Source : G. Desplanques, M. de Saboulin, « Activités féminines : carrières continues et discontinues », *Économie et statistique,* n° 193-194, novembre-décembre 1986, p. 51-62.

ment de scolarisation (décrit dans le chap. II). Toutes les études attestent que les femmes qui ont obtenu un niveau suffisant de qualification scolaire et professionnelle abandonnent moins fréquemment leur emploi, cherchant ainsi à valoriser la formation reçue[1].

Cette plus grande continuité de l'activité féminine constitue un démenti assez formel à l'idée, toujours présente dans les esprits, que le salaire des femmes est un salaire d'appoint. La rémunération de l'épouse est en effet encore – trop souvent – considérée comme un complément de ressources. Cette opinion prend en partie sa source dans les représentations idéologiques du siècle dernier, émanant indistinctement des réformateurs éclairés comme des théoriciens conservateurs. C'est ainsi que Jules Simon écrivait, en 1861, que le travail des femmes était nécessaire à la famille. Frédéric Le Play précisait, pour sa part, que l'activité de la femme était un supplément important au salaire du mari. Continuer de nos jours à prétendre que les femmes exercent une activité d'appoint serait oublier la très nette progression depuis le début des années soixante-dix des ménages où la femme est active et l'homme inactif. Quant aux couples où l'homme est actif et la femme au foyer, leur nombre est en recul accéléré. C'est dire la perte de vitesse du modèle traditionnel qui façonne encore de nos jours les représentations courantes sur la répartition des responsabilités et des rôles familiaux. Dans cette évolution, les femmes d'indépendants (artisans, commerçants, patrons) ont, comme les autres, pris leur part en obtenant une certaine reconnaissance sociale dans le cadre des relations conjugales. En effet, lorsqu'elles travaillent pour l'entreprise familiale, de plus en plus nombreuses sont les épouses qui ont acquis une identité professionnelle propre, distincte de celle de leur mari, soit avec le statut de salarié

1. Cf. G. Desplanques, « La montée de l'activité féminine, ses déterminants », in *Vie professionnelle, logement et vie familiale,* Haut conseil de la population et de la famille, La Documentation française, 1992.

d'entreprise, soit en se déclarant « à leur compte ». Sans compter que ces femmes d'indépendants travaillent de plus en plus à l'extérieur de l'entreprise familiale[1].

2. **La division sexuelle du travail.** – Les femmes n'ont pas recueilli tous les avantages escomptés par le développement de leur activité. Les différences de carrière par rapport à leurs homologues masculins sont évidentes et reconnues de tous. Un certain nombre d'écueils subsistent néanmoins, relatifs au statut des emplois qu'elles occupent, ainsi qu'à leurs conditions de qualification, de travail et de rémunération.

A) *La non-mixité de l'emploi.* – L'accroissement de l'activité féminine, jamais démenti par la crise économique, ne signifie pas que les femmes se sont déployées indifféremment dans tous les secteurs d'emplois. En théorie, les femmes ont libre accès à la quasi-totalité des métiers. Mais, l'examen de la structure des emplois est sans appel : les hommes et les femmes n'exercent généralement pas les mêmes professions. Non seulement il n'existe pas de réelle mixité des emplois, mais, de plus, une partie d'entre eux sont soit typiquement masculins, soit typiquement féminins, si bien que, dans la réalité, l'éventail des choix professionnels prend pour les femmes l'allure d'une véritable peau de chagrin. Cette concentration des emplois féminins est plutôt frappante[2]. Jugeons plutôt : les professions du tertiaire sont féminisées à 56 %, alors que celles de l'industrie le sont seulement

1. La proportion d'épouses aides familiales a beaucoup baissé : 35 % en 1971, 25 % en 1988. *A contrario*, la proportion de femmes d'indépendants (artisans, commerçants, chefs d'entreprises) exerçant une activité salariée à l'extérieur de l'entreprise a fortement augmenté, passant de 11 % en 1971 à 26 % en 1986. Cf. M. Cézard, « Les femmes dans les entreprises individuelles : tradition et autonomie », *Économie et statistique,* n° 209, 1988, p. 37.
2. Cf. M. Huet, « La concentration des emplois féminins », *Économie et statistique*, n° 154, avril 1983, p. 33-46 ; et plus récemment O. Marchand, « Les emplois féminins restent très concentrés », *Données sociales 1993,* p. 495-503.

à 19 %. Autre indication : en 1990, 60 % des femmes actives occupées sont regroupées autour de six catégories socioprofessionnelles. Ces six catégories en question appartiennent au groupe des employés, auxquelles on peut ajouter les instituteurs et les professions intermédiaires de la santé et du travail social[1].

B) *Qualification professionnelle et qualités de sexe*. – La place des femmes dans la hiérarchie des statuts professionnels reflète de façon éclatante la ségrégation sociale en vigueur sur le marché du travail. Plus on monte dans l'échelle des professions et plus les femmes se font rares. Ainsi, à l'intérieur d'un corps professionnel aussi féminisé que l'enseignement, la représentation féminine varie en sens inverse du niveau de qualification : les femmes représentent 78 % des instituteurs, 57 % des professeurs certifiés, 52 % des agrégés, mais seulement 35 % des maîtres de conférences et 14 % des professeurs d'Université[2].

L'extension du salariat féminin est donc à nuancer fortement selon les catégories socioprofessionnelles occupées[3]. Bien que les femmes en 1999 composent 46 % de la population active totale, leur représentation reste très inférieure à ce chiffre pour les professions de cadres, d'agents de maîtrise, de techniciens, et d'ouvriers qualifiés. En revanche, elle est très supérieure parmi les ouvriers spécialisés, les manœuvres, et surtout les employés[4]. Les professions féminisées, c'est-à-dire occupées majoritairement par les femmes, désignent donc généralement des activités de prestation de services, des emplois

1. Cf. O. Marchand, *op. cit.*, p. 496.
2. Source : *Repères et références statistiques*, Éd. 2000, et MEN, Note d'information 98.33 et 99.25.
3. L. Thévenot, « Les catégories sociales en 1975 : l'extension du salariat », *Économie et statistique*, n° 91, juillet-août 1977, p. 18.
4. C'est ainsi que 86 % des agents de bureaux de la Fonction publique, et 76 % des employés administratifs du privé sont des femmes, sans parler des secrétaires et des dactylos qui, à 98 %, sont de sexe féminin.

d'exécution le plus souvent déqualifiés tels que vendeuses, caissières, femmes de ménage, assistantes maternelles, ou encore aide-soignantes, pour ne citer que les plus caractéristiques d'entre eux. La féminisation de l'emploi rime donc avec déqualification. C'est la caractéristique dominante de ce processus.

Tableau 13. — **Proportion des femmes dans les catégories socioprofessionnelles (en %)**

Catégorie socioprofessionnelle	Part des femmes dans l'emploi total de la catégorie	
	1982	2000
Agr. Exploitants	38,3	32,5
Art. comm., chefs d'entreprise	35,1	29,9
Cadres et prof. intell. sup.	24,3	34,8
Prof. intermédiaire	39,9	47,0
Employés	74,2	76,5
Ouvriers	19,8	21,0
Ensemble	40,5	45,6

Source : INSEE, *Enquêtes Emploi* de 1982 et 2000.

Comment alors interpréter l'investissement du tertiaire par les femmes ? Vient immédiatement à l'esprit le critère de la formation reçue. Les jeunes femmes suivent plus fréquemment les filières d'enseignement général, lesquelles conduisent principalement aux métiers tertiaires. Cette raison est toutefois loin d'être suffisante car on ne manquera pas de constater que, même à formation identique, les femmes n'exercent pas les mêmes métiers que les hommes, ne s'orientent pas vers les mêmes secteurs d'activité, et n'accèdent pas aux mêmes grades, c'est-à-dire concrètement aux mêmes responsabilités et pouvoirs socioprofessionnels.

Les raisons des difficultés d'accès des femmes aux postes de responsabilités tiennent essentiellement à un phénomène de discrimination à l'embauche. Il est maintenant publiquement reconnu qu'à tous les niveaux de l'emploi, pour une formation professionnelle sanctionnée par des diplômes identiques, les femmes sont souvent embauchées sur des postes de moindre qualification[1]. Le critère de l'infériorité intellectuelle, pas plus que celui de l'inaptitude physique ne peuvent être sérieusement mis en avant, les femmes n'étant pas moins diplômées à la sortie de l'école, bien au contraire (chap. II). Pour espérer rivaliser avec les hommes, il leur est souvent nécessaire de détenir un bagage scolaire plus important.

Cette discrimination à l'embauche est un indicateur de la moindre valeur sociale accordée généralement au travail des femmes. La qualification professionnelle requise pour l'exercice d'un emploi ne correspond pas à une simple adéquation entre formation scolaire et compétences techniques ; elle résulte d'un processus de gestion de la main-d'œuvre qui opère concrètement une distinction nette entre hommes et femmes.

Les aptitudes que l'on reconnaît – c'est-à-dire concrètement que les politiques de recrutement des employeurs publics ou privés reconnaissent – aux femmes ne sont généralement pas les mêmes que celles qu'on attribue aux hommes. Elles agissent directement sur la valeur sociale de leurs activités professionnelles respectives. En effet, les professions destinées aux femmes se fondent sur la reconnaissance de qualités « spécifiquement féminines » qui ne sont rien d'autres que des compétences domestiques dévolues aux femmes par tradition. La reconnaissance sociale par les employeurs d'une différence entre hommes et femmes, tant dans les capacités manuelles qu'intellectuelles, prend par conséquent sa source dans une différence de socialisation de sexe produite par le milieu familial d'origine. Les qualités de dextérité manuelle, de précision, d'accueil, de présentation, d'ordre, de méthode, de sens de l'organisation des tâches ména-

---

1. Rapport au ministre des Droits de la femme, 1982, *op. cit.*, p. 37.

gères, etc., ont en effet été généralement acquises, ou sont supposées l'avoir été, dans l'éducation des jeunes filles. Ces qualités « souvent présentées comme inhérentes à la nature féminine »[1] sont particulièrement incarnées par un certain nombre d'emplois de l'industrie (habillement, confection...) et des services (commerce, hôtellerie, administration, éducation, santé...). La ségrégation professionnelle selon le sexe trouve ainsi sa légitimité idéologique dans l'éducation faite nature des rôles masculins et féminins.

C) *Conditions de rémunération et de travail des femmes.*
À emploi féminin, moindres qualifications, salaires et conditions de travail moins avantageux. La loi Roudy (du 13 juillet 1983), en posant le principe qu'il ne peut y avoir de discrimination à l'embauche en raison du sexe, et en réaffirmant le droit à l'égalité de rémunération entre hommes et femmes, reconnaît bien, de façon implicite, l'existence d'emplois, et plus largement de carrières et de conditions de travail, réservés de fait à chaque sexe.

Nombre d'emplois tels que puéricultrices, cuisinières (de cantine), blanchisseuses, infirmières, secrétaires « appellent les bas salaires, non pas tant parce qu'ils sont effectués par des femmes (...), mais parce qu'ils sont une extension des activités naturelles »[2]. Par « activités naturelles », il faut entendre les travaux non rétribués qu'elles exercent – ou sont supposées exercer – dans le cadre des rapports domestiques (lavage, repassage, cuisine, garde et soins des enfants, mais aussi courrier et comptabilité domestiques, correspondance, etc.). L'infériorisation des femmes en matière de salaire tient également au fait que les métiers qu'elles occupent sont en cours de dévalorisation sociale, et donc d'abandon par les hommes. En effet, contrairement à une opinion répandue, ce n'est pas parce

1. M. Huet, *op. cit.*, p. 36.
2. A. Kartchevsky-Bulport, « Travail féminin, travail des femmes : les enjeux des approches des spécialistes », in *Le sexe du travail. Structures familiales et système productif*, PUG, 1984, p. 149.

que les femmes arrivent massivement dans une profession que celle-ci se dévalorise. C'est la profession qui est déjà dévalorisée – ou en cours de dévalorisation – lorsqu'elles l'investissent. Cette inégalité de sexe devant le salaire joue toutes choses égales par ailleurs. En moyenne nationale, les salaires des femmes sont inférieurs d'environ 20 % à ceux des hommes, pour des emplois semblables et à même niveau de qualification et d'ancienneté. Et plus les catégories professionnelles sur lesquelles on raisonne sont « élevées », plus l'écart de rémunération entre hommes et femmes se creuse.

Tableau 14. — **Écarts de salaire entre les hommes et les femmes selon la catégorie socioprofessionnelle en mars 2000 (en %)**

Catégorie socio-professionnelle	Salaire médian		
	Hommes	*Femmes*	*Écarts*
Cadres, professions intellectuelles supérieures	16 666	13 000	28,2
Professions intermédiaires	10 500	9 500	10,5
Employés	8 000	6 066	31,9
Ouvriers	7 350	5 600	31,3
Total	8 666	7 000	23,8

Source : INSEE, *Enquête Emploi*, 2000

Quand on évoque les conditions de travail, on a encore à l'esprit les garanties d'hygiène et de sécurité obtenues par les salariés, le plus souvent sur fond de luttes sociales et de drames humains. Les femmes échappent généralement aux travaux physiques les plus pénibles, salissants, toxiques et nocturnes. Elles connaissent cependant des cadences et une « pression temporelle » de travail plus draconiennes. Dans les rapports quotidiens à leur outil de production, elles sont les plus contraintes au travail imposé par la machine, à la stricte répétitivité des gestes et des opérations identiques, et les plus assujetties à la rémunération au rendement. Serait-ce notre inconscient historique qui nous conduit à assigner une figure masculine au travail à la chaîne, ou avons-nous assisté, au cours de ces dernières décennies, à une transformation importante des rapports au travail, notamment au sein du monde ouvrier ? La réponse mériterait une investigation historique poussée. Toujours est-il que, de nos jours, les femmes subissent deux fois plus ce travail à la chaîne que les hommes[1]. L'ouvrier fordien[2] ne serait-il pas plus exactement aujourd'hui une ouvrière ?

3. L'invention du travail à temps partiel féminin. –
L'intégration de plus en plus massive des femmes dans l'emploi salarié correspond à une division sociale du marché du travail dont la spécialisation sexuelle de certains secteurs est une illustration. Elle correspond également à l'invention de nouveaux modes de gestion de la main-d'œuvre.

A) *Temps choisi ou temps contraint ?* – L'invention et la diffusion des emplois salariés à temps partiel concernent essentiellement les femmes : elles occupent 85 % d'entre eux. De nos jours, près d'une femme sur trois (31,1 %) travaille à temps partiel, contre près d'un homme sur vingt (5,4 %). C'est incontestablement un fait salarial féminin, sans que l'on puisse affirmer pour autant qu'il corresponde toujours aux impératifs de la vie familiale, ou aux souhaits exprimés par les femmes.

L'idée largement répandue que le temps partiel est un temps choisi par les femmes, qui concilient travail et vie de famille, est des plus réductrice. Il existe en réalité deux formes bien distinctes de travail à temps partiel.

---

1. Source : CNIDF-INSEE, *Femmes en chiffres,* 1986.
2. Henry Ford (1863-1947), constructeur automobile, a été le premier à rationaliser les méthodes de fabrication et à produire les voitures à la chaîne

Tableau 15. — **Part des actifs occupés
à temps partiel (évolution 1982-2000)**

	1982	1989		2000	
	Fem-mes	Fem-mes	Hom-mes	Fem-mes	Hom-mes
Non salariés					
Indépendants employeurs	16,0	16,0	2,9	19,6	3,3
Aides familiaux	32,4	34,6	26,2	36,8	46,0
Salariés					
Services domestiques	62,3	65,3	36,3	65,2	43,4
Secteur privé	16,8	21,3	3,0	29,4	4,6
Salariés de l'État	14,7	23,9	5,0	26,8	3,5
Salariés des collec-tivités locales	12,1	17	1,1	27,5	7,2
Ensemble	19,0	23,7	3,5	31,1	5,4

Source : INSEE, *Enquêtes Emploi,* 1982, 1989 et 2000.
Le tableau se lit ainsi : 19 % des femmes occupant un
emploi en 1982 travaillent à temps partiel.

– Une première forme peut être en effet considérée
comme un aménagement librement consenti par les femmes de leur temps de travail hebdomadaire. Ce travail à
temps partiel est essentiellement l'apanage du secteur public. Depuis le début des années quatre-vingt, il désigne
des durées d'emploi variables, supérieures ou inférieures
au mi-temps traditionnel. Dans la pratique, il permet aux
femmes de disposer de demi-journées, ou de journées en-
tières, essentiellement le mercredi – après-midi –, jour de
congé scolaire, pour s'occuper des enfants, ou des tâches
domestiques (courses...), autrement dit pour convenances
familiales et plus rarement personnelles. Les employées
de la Fonction publique représentent la catégorie type
pour laquelle le temps partiel peut résulter d'un libre
choix. Cette forme d'emploi « réservée », de fait, aux
femmes, apparaît comme une émancipation de la condi-

107

tion féminine, censée répondre aux désirs des femmes de mieux concilier travail professionnel et vie de famille.

– Une deuxième forme de travail à temps partiel, statistiquement dominante, est à mettre sur le compte des logiques du marché. Un certain nombre d'études[1] ont montré que la période d'apparition et d'essor du travail à temps partiel est postérieure aux années de forte expansion de l'activité féminine (années 1970-1975). La montée du travail à temps partiel est ainsi concomitante à l'approfondissement de la crise économique dans la deuxième moitié des années soixante-dix. Malgré cette crise économique, l'activité des femmes, à la différence de celle des hommes, ne s'est pas ralentie. En revanche, elle a fait l'objet de profondes mutations : à côté, et de plus en plus souvent à la place de l'emploi salarié à temps plein, et à durée indéterminée, se sont développés des statuts précaires tels que les contrats à durée déterminée, les emplois d'interim, les stages[2], et autres emplois à temps partiel. Ces derniers ont pris beaucoup d'ampleur dans le secteur privé, notamment dans la grande distribution, avec les emplois de caissières, vendeuses, etc. Le secteur public n'est pas pour autant en reste : il est également un fort pourvoyeur d'emplois féminins à temps partiel[3]. On peut assimiler ces emplois à du « sous-emploi », puisqu'ils occupent des personnes en deçà de leurs capacités et de leur volonté de travailler[4]. Dans les années quatre-vingt, les mesures de lutte contre le chômage des

---

1. Cf. notamment M. Maruani, C. Nicole, *Au labeur des dames. Métiers masculins, emplois féminins*. Paris, Éd. Syros, « Alternatives », 1989.
2. J. Jacquier, « La diversification des formes d'emploi en France », *Données sociales 1990*, p. 58.
3. Les jeunes femmes de moins de 25 ans sont en effet les destinataires les plus nombreuses des dispositifs publics d'aide à l'insertion sociale et professionnelle. Les « stages 16-25 ans » comptent en 1989 une majorité de femmes (52,5 %). Quant au dispositif TUC, il est assez fortement féminisé puisqu'il compte, à la même date, 67 % de jeunes femmes.
4. Si l'on reprend la définition du sous-emploi énoncée par C. Thélot, *in* « Le sous-emploi a doublé en quatre ans », *Économie et statistique*, nº 193-194, novembre-décembre 1986, p. 37-42.

jeunes, prises par l'État et les collectivités locales, qui ont donné naissance aux TUC (Travaux d'utilité collective), ont ainsi fortement contribué au développement du travail à temps partiel. La distinction public/privé n'a alors, dans ce cas, pas grande pertinence. Le travail à temps partiel constitue ainsi un moyen utilisé par les employeurs pour rendre plus flexible leur main-d'œuvre, c'est-à-dire pour l'adapter aux vicissitudes du marché de l'emploi.

La flexibilité de l'activité féminine a incontestablement ouvert la porte à des emplois précaires, ou emplois « faute de mieux » dont le travail à temps partiel fait partie. En se développant, ce dernier a accentué la division sexuelle du travail. Il touche en effet massivement les femmes salariées les moins diplômées, celles exerçant des professions subalternes, qui y voient, en temps de crise, essentiellement un moyen d'éviter le chômage.

B) *Partage du travail et chômage féminin.* – Il est par conséquent hasardeux de définir le travail à temps partiel comme un progrès social. Il n'y a, pour en juger, qu'à comptabiliser le nombre important de femmes travaillant à temps partiel, insatisfaites de leur situation et désireuses de travailler à temps plein. « Ceux qui rêvent du temps partiel ne sont pas ceux qui le pratiquent. »[1] Cette citation souligne que, le plus souvent, le travail à temps partiel est imposé aux femmes, sans qu'on leur demande leur avis. Partager le travail entre plusieurs salariées permet en effet à une entreprise, dans un contexte de crise, d'optimiser la gestion de son personnel, c'est-à-dire concrètement de faire travailler les personnes pendant les plages de temps désertées par les salariées à temps plein (fin d'après-midi, nocturnes, week-end)[2]. Le travail à temps partiel devient, en fin de compte, un instrument efficace de flexibilité de l'emploi féminin.

1. Rapport Lucas, in La Documentation française, 1988.
2. Cf. M. Maruani, C. Nicole, *op. cit.*

Notons enfin que les emplois à temps partiel, ou « à horaires réduits », selon les intitulés, sont les plus exposés aux risques de chômage en raison de leur caractère souvent précaire. Au cours des dernières années, l'augmentation du chômage a été plus rapide pour les femmes que pour les hommes, l'écart entre les deux sexes se vérifiant à tous les âges.

Tableau 16. — **Évolution du chômage selon le sexe (en %)**

	1985	1992	2000
Hommes			
15-24 ans	24,5	16,6	18,4
25-49 ans	6,2	6,9	7,8
50 ans et plus	5,9	6,7	6,7
Total	8,5	7,9	8,5
Femmes			
15-24 ans	30,5	26,1	23,7
25-49 ans	9,7	11,6	11,6
50 ans et plus	7,1	8,8	8,3
Total	12,6	12,8	11,9

Source : INSEE, *Enquêtes Emploi.*

De manière très contradictoire, l'extension du salariat féminin s'est donc conjugué avec un fort accroissement du chômage des femmes, supérieur à celui des hommes, et ce, quelle que soit la catégorie socioprofessionnelle occupée. La catégorie ouvrière a ici valeur d'exemple puisque le taux de chômage des femmes y est très supérieur à celui des hommes (en mars 2000, 18,5 % contre 10,8 %) ; cette disparité de sexes tendant à persister d'année en année, comme du reste dans l'ensemble des catégories socioprofessionnelles.

Tout comme les jeunes, les femmes subissent fortement les affres d'un chômage bien souvent de longue durée. Bien que au cours de ces dernières années, l'ancienneté moyenne dans le chômage ait progressé pour les deux sexes, ce sont les femmes qui, à âge et à niveau de diplôme équivalents à ceux des hommes, connaissent les durées de chômage les plus longues, signe de leurs difficultés à retrouver le chemin de l'emploi. La spécificité du chômage féminin tient essentiellement au fait que les femmes composent les catégories de travailleurs les moins qualifiées, et donc les plus vulnérables sur le marché du travail.

III. – Vie familiale et vie professionnelle

La relation entre la vie familiale et la vie professionnelle des femmes est le plus souvent abordée par la recherche d'effets directs entre l'une et l'autre sphère. Il s'agit tantôt de mesurer le coût, en termes de promotion, de plan de carrière, etc., des événements familiaux (mariage, maternité, divorce) sur l'activité professionnelle des femmes, tantôt d'interroger les effets de l'entrée dans l'emploi et de la poursuite de l'activité des femmes sur la vie conjugale et le calendrier des naissances.

1. L'activité féminine : entre naissances et vie de couple. – Le mariage et la naissance des enfants sont fréquemment considérés comme des obstacles à la poursuite de l'activité féminine. Ces considérations s'appuient, il est vrai, sur des faits irréfutables. Tout d'abord, le taux d'activité des femmes mariées est moindre que celui des femmes célibataires. Ensuite, les femmes qui travaillent ont généralement moins d'enfants que celles qui sont inactives. Ces constats ne doivent pourtant pas cacher la complexité des relations entre activité féminine, nuptialité et fécondité. On constate en effet que le développement de l'activité féminine a très largement bénéficié de l'afflux et du maintien des mères de famille sur le marché du travail. Le déclin des familles nombreuses explique en partie ce phénomène. De même, de nos jours, l'arrivée d'un premier ou d'un deuxième enfant conduit moins souvent la mère à cesser de travailler, même de façon temporaire. En conséquence de quoi, l'écart de fécondité entre mères actives et mères inactives a diminué. Les Hmères de un ou deux enfants sont de plus en plus des femmes actives.

Si la naissance du deuxième enfant entraîne rarement un « retour au foyer », doit-on logiquement en conclure que c'est la naissance du troisième enfant qui conduit les mères à s'arrêter de travailler ? La relation entre fécondité des familles nombreuses (de trois enfants et plus) et activité des mères est en fait plus complexe qu'il n'y paraît. Tout d'abord, la présence au foyer d'un troisième enfant est de moins en moins un obstacle important à la prise ou à la poursuite de l'activité des mères, puisqu'au début des années deux mille, 52 % d'entre elles sont effectivement actives (contre 30 % au milieu des années soixante-dix). Ensuite, après examen approfondi, on se rend compte que « la plus faible activité des mères de trois enfants ne semble pas due à la naissance du troisième, mais plutôt à un arbitrage préexistant entre trajectoire professionnelle et trajectoire familiale »[1]. Ainsi, dans ces familles de trois enfants, une fraction importante des mères s'arrête de travailler avant même l'arrivée du premier enfant, ou au plus tard à sa naissance. On notera plus précisément avec S. Lollivier que « parmi les mères de trois enfants ayant cessé une activité, 44 % se sont arrêtées avant l'arrivée du premier enfant ou dans l'année qui suivait, et seulement 8 % à la naissance du troisième ou au cours de l'année suivante. Ainsi, les choix semblent plutôt relever d'une stratégie familiale »[2], où la décision de s'arrêter durablement pour se consacrer à ses enfants intervient très tôt dans le calendrier des naissances.

---

1. S. Lollivier, « Activité et arrêt d'activité féminine : le diplôme et la famille », *Économie et statistique*, n° 212, juillet-août 1988, p. 28-29.
2. S. Lollivier, *op. cit.*, p. 28-29.

Tableau 17. — **Taux d'activité féminine**
selon le nombre d'enfants (en %)

Âge de la femme	Nombre d'enfants de moins de 18 ans			
	0	*1*	*2*	*3*
15-24 ans	76,8	60,9	32,0	15,7
25-39 ans	90,2	85,6	72,8	49,8
40-54 ans	76,1	79,1	78,2	57,8
55 ans ou plus	14,5	50,8	59,3	–
Ensemble	45,5	81,1	74,1	52,1

Source : INSEE, *Enquête Emploi,* 2000.
Le tableau se lit ainsi : sur 100 femmes âgées de 40 à
54 ans, ayant 3 enfants et plus de moins de 18 ans, 57,8
sont actives.

2. Activité féminine et nouvelles structures familiales.

Autre phénomène souvent mis en relation avec le développement de l'activité féminine : le divorce[1]. La progression de l'activité féminine est souvent évoquée en parallèle de l'augmentation du nombre de divorces, quand elle
n'est pas considérée plus directement comme un facteur
de risque de rupture du lien conjugal. Il est vrai que les
demandes de divorce, quelles soient « par consentement
mutuel », ou « pour faute », sont majoritairement à
l'initiative des femmes (dans plus de 7 cas sur 10). La
proportion des demandes de divorce émanant des femmes actives est, quant à elle, encore plus forte, et ne fait
que s'accroître.

En réalité, si commode que puisse être l'argu-
mentation, l'autonomie professionnelle des femmes ne
suffit pas à expliquer l'importance de l'accroissement
des divorces en France. Deux éléments permettent
d'argumenter dans ce sens. D'une part, ce sont les

1. En 1987, l'indice de divortialité, stable depuis 1985, est de
30,5 divorces pour 100 mariages.

femmes les moins diplômées et donc disposant des revenus les plus bas, qui, en proportion, sollicitent le plus souvent la rupture. D'autre part, constater un lien entre l'activité des femmes et leur attitude face au divorce procède le plus souvent d'une vision statique. En adoptant un point de vue différent, diachronique, on observe que la relation de causalité entre activité féminine et divorce doit être lue en sens inverse : « Prendre un emploi pour rompre, plutôt que rompre parce qu'on a un emploi. »[1] Voilà qui résumerait plus exactement l'attitude des femmes face au divorce. Autrement dit, l'activité professionnelle est un moyen pour les femmes de prendre leur autonomie en cas de crise du couple, plus qu'elle n'est directement responsable de la dissolution du lien conjugal.

Ce faisant, la gestion des nouveaux rapports parentaux consécutifs aux divorces ou aux séparations incombe massivement aux femmes. Les nouvelles familles monoparentales – réunissant un parent et le ou les enfants – sont l'affaire des femmes. Avec l'appui d'une législation sur la garde des enfants, qui, sauf exception, consacre la priorité au rôle de mère, les femmes assument la responsabilité de la continuité sociale, éthique et affective dans la famille. Ces nouvelles responsabilités sociales mettent quasiment les femmes dans l'obligation de travailler professionnellement. On ne s'étonnera donc pas d'apprendre que ce sont ces familles monoparentales qui ont le plus numériquement progressé au sein de la catégorie des mères actives.

La diminution des familles nombreuses, corollaire d'une chute de la fécondité depuis 1964, l'augmentation très nette des divorces, mais également, depuis 1972, l'effritement très sensible du mariage et le développement d'un célibat féminin plus durable constituent au-

---

1. M.-F. Valetas, « Le divorce en plus : ruptures et continuités », *Société française*, n° 26, 1988, p. 22.

tant d'indicateurs des changements en cours dans les structures familiales. L'énoncé de pareilles transformations n'a d'intérêt ici que dans la mesure où la question du rôle social des femmes dans ces processus est implicitement posée. Tout se passe comme si on assistait à une redéfinition de la famille, c'est-à-dire à la fois à une précarisation des formes d'alliance et à un maintien très fort des liens de filiation entre la mère et ses enfants, même en cas de séparation du couple. De là à penser que l'« éclatement » des formes familiales traditionnelles auquel on assiste est à mettre en relation avec le développement de la précarité de l'emploi féminin, il n'y a qu'un pas que n'hésitent pas à franchir certaines analyses[1].

3. **Activité professionnelle et rapports domestiques.**
Les discours ambiants ne cessent de suggérer, quand ils ne le décrètent pas haut et fort, que le partage des tâches – et du pouvoir – entre les deux conjoints a évolué positivement, c'est-à-dire vers une prise en charge plus égalitaire des affaires conjugales. Des indices, il est vrai, vont dans ce sens. C'est ainsi que les hommes participent plus activement au travail domestique lorsque leur conjointe exerce une activité professionnelle. De même, on enregistre une diminution du temps que les femmes consacrent au travail domestique, lorsqu'elles occupent un emploi. Il n'en reste pas moins vrai que les femmes cumulent les responsabilités de leur emploi et la conduite principale des tâches domestiques. Un certain nombre d'enquêtes statistiques attestent clairement le caractère typiquement féminin de la « deuxième journée ménagère »[2], faisant suite à une journée

1. A.-M. Barrère-Maurisson, *op. cit.*
2. Cf. E. Maurin, « Types de pratiques, types de journées et déterminants sociaux de la vie quotidienne », *Économie et statistique*, n° 223, juillet-août 1989, p. 29-46.

de travail hors domicile. En définitive, les formes d'organisation domestique[1] n'évoluent que lentement. Si on peut supposer que l'égalitarisme a progressé en matière de rôles conjugaux, selon l'expression de Y. Lemel[2], il stagne dans les pratiques quotidiennes, notamment dans la répartition des tâches domestiques. Même lorsqu'il y a division des tâches ménagères, leur contenu reproduit la différenciation traditionnelle des rôles masculins et féminins. Les femmes, qu'elles aient un emploi ou pas, sont spécialisées dans la cuisine, la lessive, le ménage courant et les soins aux enfants ; les hommes font en priorité les travaux ménagers les plus liés à l'extérieur (voiture, jardinage, chauffage)[3], ainsi que ceux relevant du bricolage et des réparations diverses.

4. Mobilité féminine et « choix » matrimonial. – Les femmes ont-elles, dans la période contemporaine, bouleversé les relations entre les sexes ? Dans l'univers familial, la démocratisation des rapports domestiques est initiée par les femmes de catégories supérieures, dotées d'un meilleur niveau d'instruction et manifestant une plus grande assiduité sur le marché du travail. Dans l'univers professionnel, ces mêmes attributs ont également produit leurs effets sur les rapports hiérarchiques. Les femmes ont en effet pu accéder à des professions qui jusqu'alors leur étaient fermées. Dans les emplois et les

1. C'est-à-dire, selon la définition de M. Glaude et F. de Singly, la « manière dont les conjoints délimitent, dans l'univers spatial et symbolique (de leur domicile), le territoire qu'ils partagent ensemble et les domaines que chacun se réserve », in « L'organisation domestique : pouvoir et négociation ? », *Économie et statistique*, n° 187, avril 1986, p. 4.
2. Y. Lemel, « Indifférenciation progressive des modèles de rôles féminin et masculin », in L. Dirn, *La société française en tendances*, Paris, PUF, 1990.
3. Cf. A. Chadeau, A. Fouquet, « Peut-on mesurer le travail domestique ? », *Économie et statistique*, n° 136, septembre 1981, p. 31.

fonctions techniques de haut niveau, les femmes ne font plus exception : 10 % des ingénieurs et cadres d'entreprises sont des femmes (contre 3 % au début des années soixante)[1]. La féminisation des emplois d'encadrement en est pourtant à ses balbutiements. Elle est d'ailleurs plus sensible dans la Fonction publique que dans les entreprises privées.

En somme, les innovations sociales « viennent essentiellement d'en haut ». Elles sont principalement portées par les femmes d'origine sociale et de niveau d'études supérieurs. Ce sont ces catégories de femmes qui ont fortement et durablement investi dans le système éducatif, aidées qu'elles étaient par leur milieu familial d'origine. Ce sont elles qui ont acquis une autonomie significative dans leur statut professionnel et matrimonial : activité professionnelle plus continue, chômage moins élevé, mariage éventuel plus tardif, descendance moins nombreuse, etc.

Toutefois, pour une femme d'origine sociale supérieure, les inégalités de sexe ne se conjurent jamais facilement. Serait-ce pour éviter les difficultés propres aux relations de pouvoir conjugal, et ainsi accroître leurs chances de promotion sociale qu'il leur soit nécessaire de rester délibérément célibataires ? F. de Singly[2] est de cet avis. On le rejoindra en constatant que le célibat constitue pour les femmes la meilleure voie d'accès aux professions supérieures. En les déchargeant des tâches domestiques, il est à la fois synonyme d'un meilleur rendement de leurs diplômes sur le marché du travail, et d'une plus grande progression dans la carrière professionnelle. C'est ainsi qu'à l'inverse des hommes, les femmes cadres sont plus souvent célibataires que leurs consœurs ouvrières ou employées.

---

1. Référence : O. Marchand, C. Thélot, *op. cit.*, p. 105.
2. F. de Singly, « Mariage, dot scolaire et position sociale », *Économie et statistique,* n° 142, mars 1982.

Destin professionnel et destin matrimonial se conjuguent donc très différemment selon les sexes. La forme normale (c'est-à-dire statistiquement dominante) de la vie privée, qu'incarne le mariage, « est par conséquent plus fréquemment associée chez les hommes et moins fréquemment chez les femmes à une position élevée dans la hiérarchie professionnelle »[1] et sociale.

1. F. de Singly, *op. cit.*, p. 11.

Conclusion

LA FÉMINISATION
DE LA SOCIÉTÉ FRANÇAISE

La société française se féminise. Cette formule n'a rien d'un jugement moral. Elle se veut, en conclusion de notre propos, un constat objectif. La féminisation de la société est tout d'abord d'ordre quantitatif : il y a plus de femmes que d'hommes dans la population, cet écart s'accentuant avec l'âge[1]. En vieillissant, la France fait apparaître chaque jour davantage la supériorité numérique des femmes. Leur plus grande longévité[2] est sans doute une caractéristique majeure de la société française, qui reflète les différences de modes de vie entre les sexes (conditions de travail, consommation, santé, etc.). La féminisation de la société est également d'ordre qualitatif : les femmes sont de plus en plus présentes dans les différents domaines de la vie sociale. Cette situation constitue dorénavant une norme. Par un investissement massif dans l'école, elles obtiennent plus fréquemment des diplômes que les hommes. Par un engagement accru dans la vie professionnelle, elles deviennent des acteurs économiques à part entière.

1. Au recensement de population de 1999, on compte 30,1 millions de femmes et 28,4 millions d'hommes. À 50 ans, il y a autant de femmes que d'hommes, à 80 ans deux fois plus, et à 100 ans sept fois plus.
2. En 1820 : l'écart moyen d'espérance de vie est de 1,6 ans en faveur des femmes, puis augmente de façon ininterrompue pendant plus d'un siècle et demi : 2,4 ans en 1880 ; 5,7 ans en 1950 ; 7,9 en 1977 ; 8,2 ans en 1990, avant de commencer à se réduire ; en l'an 2000, cet écart est de 7,5 ans. L'espérance de vie moyenne est à cette date de 82,7 ans chez les femmes et de 75,2 ans chez les hommes (Source INSEE).

Toutefois ce processus de féminisation n'est pas univoque, ni tout rose ni tout noir. L'évolution du statut social des femmes est contradictoire. Citoyennes récentes de la société française, elles ont certainement forcé les portes de l'émancipation. Les avantages qu'elles retirent des transformations intervenues dans l'école, l'emploi et la famille, au cours de cette deuxième moitié du XXᵉ siècle, ont valeur d'exemple. Mais les nouveaux droits qu'elles ont conquis ne peuvent masquer les difficultés, résistances et obstacles qui jalonnent toujours les différentes étapes de leur existence.

La plus grande visibilité sociale des femmes n'équivaut pas à une réelle démocratisation de leurs rapports avec les hommes. Leur progression spectaculaire à l'école et dans l'emploi salarié ne peut être assimilée à une réelle mixité ; la hiérarchie entre les sexes dans l'accès aux filières scolaires et aux professions reste encore de fait la règle. De même, le partage des responsabilités éducatives et domestiques entre conjoints reste également inégalitaire ; sans compter les situations de plus en plus fréquentes – de « monoparentalité » –, tout particulièrement après divorce, où les mères se retrouvent seules à élever les enfants.

Les changements qu'ont connus les femmes, et qu'elles ont le plus souvent initiés, ne permettent pas non plus de conclure à une plus grande similitude avec les hommes. Malgré quelques rapprochements constatés, les modèles de comportements masculin et féminin restent encore fortement tranchés. Les discriminations de sexes dans la société désignent concrètement des différences de fonctions, statuts, droits et devoirs. Ces inégalités ont connu des variations à travers le temps. Celles d'aujourd'hui ne sont pas celles d'hier, ni celles, probablement, de demain. Certaines, par trop flagrantes, s'atténuent ou disparaissent, du moins à première vue ; d'autres, plus discrètes, voient le jour. La « symétrisation des rôles sociaux entre les sexes », c'est-à-dire leur caractère interchangeable, est par conséquent loin d'être de mise ; l'acteur social n'est pas un être androgyne ! L'histoire française contemporaine témoigne en définitive d'une émancipation féminine réglementée, dans les limites autorisées de la reproduction des identités de sexes, c'est-à-dire dans l'ordre de leurs inégalités.

Les femmes occupent des places « réservées » dans les différentes institutions décrites tout au long de ces pages. Cette spécificité féminine présumée s'exprime dans nos représentations quotidiennes. L'image sociale de la femme présentée dans les médias, notamment à travers la publicité, n'est pas neutre, et constitue de ce point de vue un miroir révélateur de nos mentalités et de nos stéréotypes de sexes. Le personnage traditionnel de la mère de famille (vantant les mérites des produits d'entretien, aliments surgelés, et autres appareils ménagers) y est très fréquent, même si les publicitaires s'évertuent depuis peu à euphémiser les relations domestiques, en montrant des maris modèles, les mains dans la vaisselle, ou inquiets de la qualité des couches culottes. Quand la femme est présentée en situation professionnelle, elle est soit en relation de subordination hiérarchique, soit un simple alibi esthétique qui atteint son paroxysme dans l'irréel d'une situation où une jeune femme « sexy » préside un conseil d'administration du haut de ses vingt ans. Tout concourt, de façon manifeste ou subreptice, à présenter, dans le message publicitaire verbal, ou dans le non-dit qui l'accompagne, la femme comme le personnage incarnant « naturellement » les qualités de beauté, séduction, charme, élégance, etc. Mieux que quiconque, le personnage féminin est attendu exprimer ces vertus en toutes occasions, c'est-à-dire dans les domaines de la consommation les plus divers, plastiques et diététiques (de la ligne de sous-vêtements à l'aliment allégé). La nudité de son corps, à laquelle les publicités ont souvent recours, a une fonction symbolique précise. Gage de sa féminité, de sa finesse, et de sa douceur, elle fait coïncider l'image de la femme à celle de nature et de pureté, et constitue à ce titre un argument efficace de vente. Pour qu'il n'y ait pas confusion ou rapprochement des genres, les rares publicités dévoilant des corps nus d'hommes s'ingénient à souligner l'indubitable virilité de ces « mâles » qui osent se découvrir. En règle générale, l'image publicitaire de la femme corrobore les principaux rôles observés dans la réalité, qui lui semblent destinés en propre. Mieux, elle les accentue, comme pour renforcer le préjugé devenu vérité qu'il existe des univers bien spécifiques aux hommes et aux femmes, et qu'en conséquence chacun doit rester à sa place, pour le bien de tous.

« Le social se superpose au naturel », mieux il s'y confond en l'intériorisant ! Les différences sociales les plus voyantes entre les sexes puisent en partie leur fondement dans les caractéristiques biologiques de chacun d'entre eux. La fécondité des femmes, leur moindre force physique, etc., constituent autant d' « alibis de la nature » pour légitimer les représentations et les attitudes qui leur sont généralement assignées. Les images et les fonctions sociales dévolues aux femmes s'enracinent si profondément dans leurs propriétés innées ou supposées telles qu'elles s'imposent au bout du compte, dans les esprits, comme allant de soi, avec l'évidence du naturel. La division sociale entre les hommes et les femmes est d'autant plus efficace que la définition sociale des sexes s'appuie sur l'héritage d'une éducation, voire d'une inculcation, dès la naissance, de leur assignation respective à des places différentes dans la société.

C'est cette socialisation, c'est-à-dire cette façon qu'ont les individus d'intérioriser, dans leurs conduites et leurs opinions, les modèles d'attribution des rôles masculins et féminins, qui rend en somme le social plus vrai que nature, l'identité sociale des hommes et des femmes plus prégnante que leur identité biologique. En portant à la conscience commune la situation contrastée de la femme, dans la famille, l'école et le marché du travail, lieux conventionnels de la reproduction des différences de sexes, cet ouvrage a mis ainsi en évidence l'efficience de ces modèles culturels. Il a également permis de mesurer les avancées sociales réalisées sur le front des stéréotypes de sexes.

BIBLIOGRAPHIE

Ariès P., *L'enfant et la vie familiale sous l'Ancien Régime*, Paris, Seuil, 1973.

Badinter E., *L'un est l'autre*, Paris, Odile Jacob, 1986.

Barrère-Maurisson M.-A., *La division familiale du travail*, Paris, PUF, 1992.

Battagliola F., *Histoire du travail des femmes*, Paris, La Découverte, coll. « Repères », 2000.

Baudelot C. et Establet R., *Allez les filles !*, Paris, Seuil, coll. « L'Épreuve des Faits », 1992.

Beauvoir S. de, *Le Deuxième Sexe*, Paris, Gallimard, coll. « Idées », 1981 (1949).

Bihr A. et Pfefferkorn R., *Hommes/Femmes : l'introuvable égalité. École, Travail, Couple, Espace Public*, Paris, Les Éditions de l'Atelier, 1999.

Blöss T. (sous la dir. de), *La dialectique des rapports hommes-femmes*, Paris, PUF, coll. « Sociologie d'Aujourd'hui », 2001.

Bourdieu P., *La domination masculine*, Paris, Seuil, coll. « Liber », 1998.

Commaille J., *Les stratégies des femmes. Travail, famille et politique*, Paris, La Découverte, 1993.

Duby G. et Perrot M. (sous la dir. de), *Histoire des femmes en Occident*, Paris, Plon, 1991.

Ducros A. et Panoff M. (sous la dir. de), *La frontière des sexes*, Paris, PUF, coll. « Le Sociologue », 1995.

Duru-Bellat M., *L'école des filles. Quelle formation pour quels rôles sociaux ?*, Paris, L'Harmattan, 1990.

Ephesia, *La place des femmes. Les enjeux de l'identité et de l'égalité au regard des sciences sociales*, Paris, La Découverte, 1995.

Establet R., *L'école est-elle rentable ?*, Paris, PUF, 1987.

Héritier F., *Masculin, Féminin : la pensée de la différence*, Paris, Odile Jacob, 1996.

INSEE, Secrétariat d'État aux droits des femmes et à la vie quotidienne, *Les femmes*, Série Contours et Caractères, Paris, 1991.

Kaufmann J.-C., *Sociologie du couple*, Paris, PUF, 1993.

Knibiehler Y. et Fouquet C., *Histoire des mères du Moyen Âge à nos jours*, Paris, Montalba, 1980.

Laqueur T., *La fabrique du sexe. Essai sur le corps et le genre en occident*, Paris, Gallimard, 1992.

Lelièvre C., Lelièvre F., *Histoire de la scolarisation des filles*, Paris, Nathan, 1991.

Marchand O. et Thélot C., *Deux siècles de travail en France*, INSEE Études, 1991.

Maruani M. (sous la dir. de), *Les nouvelles frontières de l'inégalité. Hommes et femmes sur le marché du travail*, Paris, La Découverte/Mage, 1998.

Mayeur F., *L'éducation des filles en France au XIXe*, Paris, Hachette, 1979.

Noguerol D., *Discriminations sexuelles et droits européens*, Paris, Masson, 1993.

Perrot M. (sous la dir. de), *Une histoire des femmes est-elle possible ?*, Paris, Rivages, 1984.

Prost A., *Histoire de l'enseignement en France,* Paris, Armand Colin, 1968.

Rapport au ministre des Droits de la femme, *Les femmes en France dans une société d'inégalités,* Paris, La Documentation française, 1982.

Roussel L., *La famille incertaine,* Paris, Odile Jacob, 1989.

Scott J.-W. et Tilly L., *Les femmes, le travail et la famille,* Paris, Rivages, 1987.

Segalen M., *Amours et mariages de l'ancienne France,* Paris, Berger-Levrault, 1981.

Shorter E., *Naissance de la famille moderne,* Paris, Seuil, 1977.

Singly F. de (sous la dir. de), *La famille. L'état des savoirs,* Paris, La Découverte, 1991.

Singly F. de, *Fortune et infortune de la femme mariée,* Paris, PUF, 1987.

Singly F. de, *Le soi, le couple et la famille,* Paris, Nathan, 1996.

Sohn A.-M., *Chrysalides. Femmes dans la vie privée (XIXe-XXe siècles),* 2 vol, Publications de La Sorbonne, 1996.

Sonnet M., *L'éducation des filles au temps des lumières,* Paris, Le Cerf, 1987.

Zaidman C., *La mixité à l'école primaire,* Paris, L'Harmattan, 1996.

On mentionnera parmi les numéros spéciaux de revue consacrés aux relations entre sexes :

Actes de la Recherche en sciences sociales : masculin/féminin 1 et 2, n°s 83-84, juin-septembre 1990.

TABLE DES MATIÈRES

Imprimé en France
par Vendôme Impressions
Groupe Landais
73, avenue Ronsard, 41100 Vendôme
Mars 2003 — N° 50 024